新世纪教师教育丛书·修订版
袁振国 主编

# 做研究型教师

鲍传友 著

教育科学出版社
·北京·

# 《新世纪教师教育丛书》修订版前言

振兴民族的希望在教育，振兴教育的希望在教师。

教师是一种专门化的职业，它有自己的理想追求，有自己的理论指导，有自觉的职业规范和成熟的技能技巧，具有不可替代的独立特性。教师不仅是知识的传递者，而且是道德的引导者，是思想的启迪者，是心灵世界的开拓者，是情感、意志、信念的塑造师；教师不仅需要知道传授什么知识，而且需要知道怎样传授知识，知道针对不同的学生采取不同的教学策略。教师职业的专门化既是一种认识，更是一个奋斗过程；既是一种职业资格的认定，更是一个终身学习、不断更新的自觉追求。中国教师队伍的培养和培训正在发生着历史性的变革，正在从发展数量向提高质量转变，提高质量将成为新世纪教师队伍建设的主旋律。在这种转变的过程中，无论是职前培养还是职后培训，无论是教育机构还是教师个人，都需要以一种新的姿态迎接这一转变。

我们从对广大中小学的调查中了解到，面对全面推进素质教育的新形势，当今教师迫切需要不断更新教育理念，提高将知识转化为智慧、将理论转化为方法的能力，提高将学科知识、教育理论和现代信息技术有机整合的能力，增强理解学生和促进学生道德、学识和个性全面发展的自觉性。为了响应这种挑战，广大的师范院校和教师培训机构都在积极探索教师教育的新内容和新方法。以华东师范大学为例，1996 年起，就有组织地开发了现代教育理论与教育实践紧密结合的新课程系统和教学模式，这些课程包括：教育新理念、课程理论与课程创新、现代教育技术、教育评价与测量、当代教学理论、教学策略、心理健康指导、网络教学、课件制作、教会学生思维、师生沟通的艺术、优秀班主任研究、中小学教学与管理案例分析、教育研究方法、基础教育改革的理论与实践等。参加课程开发的教师60%具有教授、副教授职称，80%具有硕士、博士学位。这一项目列入了教育部师范司"面向21世纪高师教学与课程改革计划"重点项目。我主持了这一项目的研究和实践。根据边实践、边研究、边总结、边改进的方针，经过几轮教学，逐渐形成了一批相对成熟的教材，经过精选整合、修改补充，于2001年由教育科学出版社出版。由于这套丛书理念新、注重理论联系实际、强调可操作性，出版以后受到了读者极大欢迎，数次甚至数十次重印，为满足教师教育的新形势、新要求，尽了绵薄之力。

正是由于这套丛书影响大、受欢迎程度高，所以更增强了我们的责任感。丛书出版的六年多来，教师教育的知识、观念不断更新，教师教育的实践不断发展，我们对教师教育课程的认识也不断深化，为此，根据教师教育的新形势和新要求，我们对《新世纪教师教育丛书》进行了修订。这次修订包括两方面，一是对第一版图书进行了较大修订，更新了内容，改善了结构，修饰了语言，修订了错误；二是丛书新增了若干选题，以反映教师教育的新要求。

祝愿丛书与我国一千多万中小学教师共同成长。

袁振国
2007 年 7 月

# 目　　录

**4**

# 1

# 教师需要做研究吗

> "如果你想让教师的劳动能够给教师一些乐趣，
> 使天天上课不致变成一种单调乏味的义务，
> 那你就应当引导每一位教师走上从事研究的
> 这条幸福的道路上来……
> 凡是感到自己是一个研究者的教师，
> 则最有可能变成教育工作的能手。"
>
> ——苏霍姆林斯基

## 第一节　充满不确定性的教学领域

### 一、井井有条的课就是好课吗

记得在中学时代，我有幸成为当地一位名师的学生，老先生教授语文和历史，不仅精通古典文学和诗词文赋，而且于书法和绘画方面也颇有研究。老先生知识渊博，教学严谨，很受学生尊敬，在当地名望甚高。他上课极具特色，最让人叫绝的是他对课堂节奏和课堂时间的精确把握。上课铃响班长喊完起立坐下后，老先生从黑板左侧写起，边讲边写，讲写至黑板右侧下方最后一个字时，下课的铃声差不多就会在此时响起。每堂课大致如此，教学过程环环相扣，不会出现丝毫差错。这位老先生正是凭借如此精确和周密的课堂设计而声名鹊起，不仅获得了各种教学美誉，而且也不断吸引当地很多其他学校的教师前来观摩取经，我至今还记得很多次公开课结束时教师和学生热烈的掌声。

后来，我也做了一名教师，在一所乡村中学执教英语。从上课的第一天起，我脑海中总是不断地浮现出那位老先生的影子。实际上，我已经把他的课当成一种模本，有意或无意地在进行模仿。从开始到结束，从语言到动作，我总是希望自己的每节课都能像他那样，铃声一响完美地完成教学任务，然后，收获掌声，收获学生和同行们的满意与赞许抑或有点羡慕的目光。可是，无论我怎么努力也无济于事，不是因课堂教学时间不够而仓促收场，就是多出一些空闲时间无所事事。多年来，我都因无法达到老先生的那种课堂"境界"而耿耿于怀，并由此滋生一种强烈的挫败感，总觉得自己的课堂教学没有效率。毕竟，那个时候看来，"井井有条"是一堂好课的基本要求。

无独有偶，后来我在某一份报纸上看到一则相关报道。大概是在20世纪90年代末，德国的一个教育代表团到上海进行中德教育交流，期间观摩了上海一所著名中学物理特级教师的课。课堂上，教师讲解透彻、重点突出、逻辑清晰、板书规范，学生回答问题积极、有序。最后，当教师布置完巩固作业时，下课铃声响起，教学任务圆满完成，课堂上响起了热烈的掌声。只是，那一批德国教师感觉有点茫然，他们不知道对这样"井井有条"的课堂该如何评价。

由此观之，多年来，我们对教学过程的理解都是有一些确定的标准的。一堂课的教学目标、教学内容、教学重点和难点、教学步骤和教学时间，甚至是课堂问题和巩固作业都有一些约定俗成的模式。如果一个教师没有按照既定的教学步骤走，没有有序完成教学任务，没有控制好课堂时间……一句话，课堂出现了"意外"，那么，这堂课就不可能成为一节好课。因此，大多数教师更崇尚、熟悉和习惯于对"约定俗成"的教学模式的运用。他们讲究课堂教学结构的严谨，喜欢教学过程的四平八稳，追求教学结果与教学目标的完美吻合。教学过程的每一步都必须按教师预设的程序进行，不许有"节外生枝"的现象发生，一旦出现"节外生枝"，则毫不留情地予以"剪枝"。所以，我们在课堂上经常会看到教师粗暴地中断学生的提问和辩论、搪塞学生质疑的现象，即使在一些特级教师的课堂上也不例外。

当然，教学过程中也存在着一些确定性的因素，比如统一的教学目的、相对固定的教材、比较确定的教学时间和场所，这些既是教学生成、发展和实现的基本条件，也是教学必须遵循的规律。没有确定性的教学必然是一种杂乱无章的教学，因而不能称其为教学。但是，如果我们把教学的确定性理解成任何一次课堂教学都必须遵守的固定的"法"的话，那么，教学就会变成一台毫无生气的"机器"，变成"一潭死水"。对教学过程中的确定性追求得越多，学生的反思、批判和探究的权利就越是被剥夺，课堂就越是苍白，其结果只是塑造了一大堆毫无生气和个性的工具性的人，这也是广为社会诟病的传授式教学所带来的严重后果。

## 二、不确定性：现代教学过程的主要特征

教学是一种有组织的、持续进行的并以引发学习为目的的交流活动，所以，教学过程是确定性和不确定性的统一。正是教学过程的不确定性，使教学具有艺术的美感和创造性，尤其是在现代社会，随着人的主体意识的增强，以及知识更新速度的加快，不确定性越来越成为教学过程的主要特征。所谓教学过程的不确定性，是指教学作为一个复杂的信息交流过程，其中的各要素之间不仅存在着一些相互影响、相互制约、互为因果的线性关系，而且还存在着一些人们无法根据某些具体的

原则进行预料、描述和控制的非线性关系，这种非线性关系就是教学过程的不确定性。

教学过程的不确定性不仅表现在教学内容上，而且表现在教学方法和教学手段上，甚至教学时间、场所和对象这些原来被认为确定无疑的教学要素也不再是固定不变的了。因为，任何一个课堂情境都包含在特定的时空内，人与人之间是积极互动的，只要人物、时间和空间其中任何一个因素发生变化，课堂都将是不同的。正如世界上没有完全相同的两片树叶一样，我们也可以说，世界上不存在完全相同的两节课堂。①

教学过程的不确定性首先源于知识体系自身的开放性。在传统的观念中，人们对知识的认识是绝对的，认为知识就是一些确定无疑的基本事实和原则，比如，$1+1=2$；三角形的内角和等于180度；水的冰点是0摄氏度、沸点是100摄氏度，等等。这些知识在很多教师的教学中被当成颠扑不破的真理传授给学生，在教学过程中不允许讨论和质疑，学生只需要记住就行。事实上，我们知道，这些基本事实都是在特定的条件下才成立的。$1+1=2$只有在十进制系统下才是正确的，如果换成二进制，就完全是另外一回事。同样，三角形内角和等于180度也只是在欧氏几何里才具有意义，假如在一个充气的球体的表面或者是内部画一个三角形，那么，它的内角和就会大于或小于180度。通常所讲的水的冰点是0摄氏度和沸点是100摄氏度也只是在标准大气压下才会发生的物理现象，如果气压变了，比如在空气稀薄的海拔4000米的高山上，水的冰点和沸点就会与山下产生显著的差异。

这些例子说明，以往人们把知识看成是确定不变的，把每一个知识

---

① 实际上，不仅人的主观活动无法预测，就是客观世界同样也难以确定。在自然科学领域，著名科学家海森堡在20世纪初就提出了"测不准定理"。海森堡认为，我们所发现和描述的不是纯粹意义上的客观事实，而是主体意志涉入其中的主体与客体之间的关系事实，任何科学研究均在一定程度上干扰着客体。因而，科学研究成果也只能在有限的范围内揭示真理。后来，"熵"的概念的提出进一步改变了那种认为自然是简单的、可以观察的、充满线性的因果关系的朴素自然观，自然开始被理解为由灵活的秩序构成的复杂集合体，秩序与混沌彼此联系，原因与结果相互规定。

点看成一个个分散孤立的体系，对知识的理解是封闭的、片面的。而知识本身是一个开放的、发展的、不断变化的体系。知识的重要特性并不是它的确定性，而是它的不确定性。如果把知识当成确定无疑的，人类可能永远停留在柏拉图和亚里士多德时代。如果我们把哥白尼的"日心说"当成真理的话，就不会有后来开普勒的天体运动学说，而如果认为开普勒行星运动三大定律已经完全揭示了宇宙奥秘的话，同样不可能有牛顿万有引力定律的发现，更不可能有近代物理学的诞生，而正是牛顿物理学为近代科学发展奠定了基础。

但是，牛顿终结真理了吗？多少年来，人们在经典物理学的世界中相信时空的绝对性，从来不会想到时间和空间会发生联系。所以，牛顿开辟经典物理学以后，物理学世界沉寂了200多年，直到20世纪初由爱因斯坦打破这一沉寂。爱因斯坦对牛顿的时空观表示质疑，提出了著名的相对论，他否定了牛顿绝对不变的时空观，认为时空是相对性的存在。相对论的提出是20世纪自然科学领域发生的最重大的事件之一，也是科学史上的一次意义深远的革命，它不仅推动了现代科学的发展，而且深刻地改变了人们对世界的看法。

自然科学的发展历史说明，一切知识都不是确定的，知识是一个充满不确定性的开放体系。那么，知识究竟是什么？

教学过程的不确定性同时也源于人的能动性和差异性。知识既不是对客观世界的绝对正确的反映，也不是独立于主观世界之外的纯粹的客观性存在。当代知识理论认为，知识内在于人的经验构造，是人的思维对所知对象的存在性反映，知识是人类认识世界、改造世界的产物。知识是生成的，它涵盖了人类的一些基本价值取向和本质特征，不存在置身于人类活动之外的纯客观知识。知识的产生、发现，以及知识借以表征的语言、逻辑、概念无不带有人为的特性，因而必然受到人的因素的制约。古希腊有位著名的大诗人叫塞诺芬尼，他在一首诗中写道：倘若牛、马、狮子有手，且能像人一样作画和塑造，马会画出它们的神，画得酷似马；而牛照牛的模样画，它们各自照自己的模样塑造神的形体。

这说明，在很早的时候，人们就知道知识不是客观世界自然生成的，而是客观世界的事物及其关系与人相互作用的结果。所以，同样是秦淮河，同一个晚上的"桨声灯影"，朱自清和俞平伯却各自写出不同的感受和风格迥异的散文佳作。

在中国流传着一个古老的"盲人摸象"的故事，不同的盲人摸到了大象的不同部位，对大象做出了各不相同的描述。这个故事用来讽刺一些人看问题的片面性，但是，细想起来它还有另外一层含义：它说明知识发现的过程是一种主观对客观事物的感受过程，知识发现不仅受制于人的生理特性还受到客观条件的制约。实际上，从知识的相对性来说，那些被称之为"知识"的东西又何尝不是"盲人摸象"的结果。即使今天我们发明了高倍的太空望远镜，我们所看到的和描述的太空景象也许只是真实太空的一个小小的侧面，这与"盲人抓住大象的尾巴认为大象就是一条绳子"有多大的差距呢？

既然知识是不确定的，受制于人的主观因素，那么，教学过程就是一个充满变化的过程，那些不可预测的"节外生枝"恰恰是教学过程的一种真实反映。

对于莎士比亚的名著《哈姆雷特》，西方有句谚语：一千个人眼里就有一千个哈姆雷特。这说明人不会被动地接受外界信息，而是根据自己个人的经验主动地进行选择和内化。同一种现象，同一个物体，不同的人会做出不同的解释。你可以在黑板上做一个简单的实验，画一个圈，然后提问，让学生们说出在黑板上所看到的东西是什么，肯定会有很多不同的答案。所以，鲁迅在谈到《红楼梦》时有一段广为人知的精彩论述：单是命意，就因读者的眼光而有种种：经学家看见《易》，道学家看见淫，才子看见缠绵，革命家看见排满，流言家看见宫闱秘事……无论是西方的谚语也好，还是鲁迅的论断也罢，无非都在阐述一个基本道理，那就是人对世界的认知是每个人在个体经验上的一种能动解读，也说明知识掌握的过程是主客体相互作用的过程，而并不是简单地将书本知识和教师个人的知识移植到学生的脑海中。

现代教学理论更多地将教学过程理解为教师和学生、学生和学生之间双重主体的交流和交往，是所有主体之间不断进行信息交换和信息加工的过程。一方面，教师对教材进行了能动的解释，教师在课堂上传递的信息已经经过了教师的选择和加工；另一方面，学生在接受教师信息的过程中也会进行选择和加工，这种重复加工和选择使教学过程很难遵循确定性的程序，达成确定性的目标。因此，教学过程中注重不确定性，注重过程远比重视确定性的结果重要得多。

人不仅具有能动性，而且不同主体之间的差异性也很大，正如图1所示，这个图画大致的意思是：一个人召集了许多动物，有海豹、鱼、大象、猴子、小鸟等，对它们进行本领测试。规定测试项目是爬树，谁最先爬到树上，谁就是冠军。可想而知，这样比赛的结果是什么。大象作为地球上的庞然大物，虽然力大无比，可是它在爬树上并无特长；而小鸟虽然力气上比不上大象，但却身轻如燕，一飞冲天，轻而易举就可以将冠军奖杯囊入怀中。如果换一种比赛方式，比如举重，那么可能又是另外一种结果了。

**图1　爬树比赛**

其实，人与人之间的差异并不比这些动物之间的差异小，可是，从某种程度上讲，我们的教育就是让这些差异很大的个体在进行统一的"爬树"比赛。那些先天就具备"爬树"素质的人，可以轻易地爬到

"树"的顶端，而那些没有"爬树"素质或者"爬树"素质比较欠缺的人就可能成为这场比赛的淘汰者。但是，他们虽然欠缺"爬树"的本领，却可能在其他方面身怀绝技，比如唱歌、奔跑、绘画等，而这些领域同样是丰富的、是生活世界中不可缺少的一部分。

教育对象的个体差异性对教师教学提出了许多新的挑战，所以，在传统的追求确定性的教学中，固定的内容和方法、目标和步调，可能只适合一部分人，而另一部分人就可能在教师井然有序的课堂上黯然出局。所以，作为教师，我们是否该思考：我们的教育如何才能为每一位学生的个性化本领提供施展的空间？

教学过程的不确定性还在于课程观的变化，以及教材内容不断为变化的世界所更新的事实。

在传统的课堂教学中，课程就是教材，就是固化的、外显的客观知识体系。教师在教学过程中的主要任务就是将教材中所规定的内容向学生讲解清楚，教学的重点和难点都是规定好的，教师对教材没有任何主动权和解释权，一切必须遵照既定的目标和程序进行。所以，我们会看到教师授课时往往会很注重追求讲课的逻辑性和层次性，追求课堂效率，而且讲课内容通常很少偏离教材。因而，教学"目的明确、结构严谨、条理清晰、时间得当"常常成为评价一堂好课的标准，所以，才会出现在本章开头所描述的那一幕。但是，现在人们对课程的看法变了，尤其是在基础教育阶段实行课程改革以后，人们不再把课程等同于教材，等同于一些静止的、外显的、确定无疑的知识体系，而是把课程看成一个不断变化的、内在的、自我生成的过程，它不仅包括各门学科的教材，而且还包括一些看不见的、说不清的个体经验，甚至学校建筑、一草一木、标牌警语、制度规则、教师本身等都是课程的一种形态。原先被教师奉为圭臬的教材只是课程的形态之一。即便是教材，在今天日益变化的世界中，其中的很多内容也充满了不确定性，它们在不断地被科技进步、被人类的实践活动所刷新。例如，多少年来，化学家和数不清的教科书在介绍碳的基本形态时，都只提到两种，即金刚石和石墨。这一金科玉律在 20 世纪 80 年代中后期突然被打破了。新的科学发现表明，碳的家族中还有一位未被发现的新成员，即新发现的富勒体。于是，一夜之间，无数的有关碳的物理的、化学的教科书都变得过时了①。再比如，前几年的地理教科书在讲到可可西里时，还把它作为一个神秘的无人区向学生介绍。可是，今天青藏铁路从可可西里横穿而过，我们还能说它是无人区吗？随着科学技术的发展，任何固化的教材都无法体现世界日新月异的变化，每时每刻都有许多内容在变得陈旧和过时。当然，我们并不是要否定人类过去经验的价值，而是要说明我们不能把教材的内容作为亘古不变的真理向学生讲授，更不能迷信教材，而要以开放的态度来认识教材、理解教材和组织教学。

教学过程的不确定性还表现在教学方法上。教学方法是保障教学目标达成，简化教师劳动的重要手段。教学过程是否科学、有效，能否使学生获得最大程度的发展，很大程度上取决于一个教师能否正确选择和使用教学方法。但对于在具体的教学过程中要采取什么方法并没有明确的规定和标准，正所谓"教无定法，贵在得法"。教学过程采用什么方法受很多因素的影响，比如，学科和教材的性质、教师的性格和偏好、学生的特点、现有的教学场所、教学设备和技术手段等，甚至教学时间段和性别这些看似无关的因素也会影响到教学方法的选择。比如，上午的课与下午的课、第一节课和最后一节课的上法往往需要有些变化，如果无视这一点而盲目采用同一种教学方法，即使这种教学方法再新颖也难以保持持久的吸引力，因为学生注意力的特点就是时间短、易变化，尤其是低年级的学生。

所以，对一个教师来说，要找到适合具体某一堂课的教学方法并不是一件简单的事情，也不是可以通过观摩示范课把别人的方法拿来就用的。选择合适的方法本身就是一个反思和研究的过程，是一个创新和发现的过程。教师要综合教材、学生和自身的特点，以及课堂内外的诸多

---

① 袁振国．教育新理念［M］．北京：教育科学出版社，2005：11－12.

主客观因素才能找到一个合适的方法，才能轻松驾驭课堂，取得良好的教学成效。

新课程的实施，对教学过程提出了更高的要求。新课程要求教师改变以往以传授为主的教学方式，尤其强调研究性教学的意义。但从实践看来，很多教师对此有很深的误解。一些教师认为，新课程不需要传统的传授式教学了，什么课都要先让学生研究一番。由于教师和学生对研究目的、研究过程、研究方法和组织形式都不太清楚，结果导致课堂严重失控和教学低效的现象时有发生。因而，很多教师对新课程改革采取消极态度，甚至在部分教师身上出现逆反的抵制课程改革的现象。实际上，新课程改革并没有否定传授式教学对于教育的意义，也没有把研究性教学作为唯一的方式和方法来推行，只是力图纠正长期以来教学方法的单调和教条化倾向，以充分发挥学生学习的主动性，培养学生探究和创新的精神。我们可以这样理解，新课程所提出的研究性教学并不是一种具体的方法，而是一种教学指导思想或原则，其本身与传授式教学并不存在非此即彼的截然对立关系。研究性教学同样离不开基础知识和基本技能的传授，两者相辅相成。至于具体某一个课堂要采用什么样的方法往往是不确定的，而恰恰是这种不确定性为教师提供了广阔的研究空间。

此外，信息技术的发展也增加了现代教学过程的不确定性。在英特网没有出现的时代，人们获取知识和信息的渠道是非常单一的，基本上限于一些有限的文本和口耳相传的方式。尽管后来随着电视的普及，人们接受知识和信息的渠道有了较大的扩展，但对于绝大部分学生来说，教师差不多是他们获取知识的唯一渠道，至少也是主要渠道，尤其是在那些父母受教育水平不高的家庭中更是如此。教师在学生心目中的"先知"形象和地位不容质疑，所以，"师者，传道、授业、解惑也"。一千多年来，人们对此深信不疑，而教师也正是在师道尊严的文化环境里，凭借其在信息占有和传输上的优势地位掌握着课堂的话语权，控制着课堂的开始、过程和结束。但是，今天教学所处的时代背景变了，在一个信息技术飞速发展，以致"知识爆炸"的信息社会中，人们获取知识和信息的渠道大大拓展，教师作为学生知识和信息的唯一来源的时代已经一去不复返。报纸、杂志、电视、电影、互联网，尤其是网络的发展和普及给学生带来了海量的、多彩的关于世界、科技和社会的各方面的知识与信息。只要你拥有一台连接到互联网上的计算机，你所需要的信息几乎在几秒钟内、在几次轻易的鼠标点击中就可以轻易找到，很多学习过程中遇到的疑难问题也可以通过网络轻而易举地得以解决。随着知识自身的变化和增长，由于人的认识能力是有限的，一个人不可能掌握所有与教学内容相关的信息，即使是"百科全书"式的人物，他所拥有的知识和信息量在现代网络世界中也不过是沧海一粟而已。互联网使传统意义上教师的"先知"地位正在被动摇。

网络使学生获取知识和信息的总量日益增加，并给教学过程带来了越来越多的挑战，原先课堂的"秩序"可能忽然被某位学生所提出的一个"稀奇古怪"的问题打乱，从而使教师在课堂上面临着越来越多的不确定性。记得在网络普及初期，有一位教师上科学课，讲到人的正常体温是36℃—37℃，突然课堂上有一位学生举手提问，"那人为什么最喜欢生活在22℃—23℃的温度范围内？"这位教师从来也没有想过这样的问题，一时无从回答。幸好这位教师比较机智，他没有立即回答学生的问题，而是把这个问题交给大家去准备，然后把它确定为下一次科学课讨论的主题。试想一下，如果这位教师因为不知道如何回答问题而粗暴打断学生的提问，或者采取嘲讽的态度，或者对学生的问题置之不理，都可能极大挫伤学生的积极性和好奇心。后来，这个问题困扰了那位教师很长时间。他花了近半个月的时间，询问了很多人，包括他的许多同行，甚至是医生和大学教授，也没有得到一个满意的解释。最终，他因无法找到答案而不得不向那个提问的学生摊牌。出乎他意料的是，这个学生竟然早已知道了答案。原来，这个学生的问题和答案都是通过网络知道的，他只不过想借此来"考考"老师。

事实上，在今天的课堂上，这样的事情已经司空见惯了。随着网络的普及和学生信息技术水平的提高，学生获取知识的渠道越来越多样化，获取信息的量也越来越大，教师所面临的挑战也越来越多。用人类学的话语来表达就是，今天我们正在进入一个"后喻文化"① 时代，教师在很多时候需要向学生学习，特别是在对信息技术和对社会新鲜事物的感知上。

总之，无论是基于知识的本质，还是课程观念的革新，抑或是信息时代师生关系的微妙变化，教学过程的不确定性都是现代教学的一个主要特征。这种不确定性既使教学过程充满了变化和乐趣，也使教学过程变得日益复杂和难以控制。正如布鲁姆所言：没有预料不到的结果，教学也就不成为一种艺术了。教学过程的不确定性对教师的专业水平提出了更高的要求，教师仅仅依靠自身的知识积累已经很难应付多变的教学过程。课堂教学的不确定性作为一种客观的必然，需要教师重新构建课堂教学观，消除对教学不确定性的错误认识，摆正它在课堂教学中应有的位置，重视对不确定性的开发利用，客观看待和正确处理教学过程中遇到的不确定现象。也就是说，教师必须改变对教学的观念和态度，时刻关注教学过程中的每个变化，仔细去研究每一篇教材、每一位学生和每一个意义深远的教学事件。

## 第二节　走向专业化的教师职业

### 一、教学是一门专业吗

一提到专业人员，人们总是首先想到医生、律师、工程师，甚至是水暖工等，而对教师是否也是专业人员，长期以来并没有一致的看法。

---

① 人类学家米德将整个人类的文化划分为三种基本类型：前喻文化、并喻文化和后喻文化。前喻文化，是指晚辈主要向长辈学习；并喻文化，是指晚辈和长辈的学习都发生在同辈人之间；而后喻文化，则是指长辈反过来向晚辈学习。

因为，在人们的心目中，教师缺少作为专业人员所应有的技巧、技术，不像医生和律师那样具有不可替代性，教师充其量也只是一个准专业人员而已。在多数情况下，人们更习惯于把教师看成是"国家干部"。所以，在一段时间内，尤其是在农村地区，教师入职的资格要求非常低，而且教师来源十分复杂，似乎"人人皆可为人师"。正是这种参差不齐、来源复杂的教师队伍赋予了人们"教师是非专业人员"的观念。

那么，作为一门专业，究竟该具有什么样的特征呢？这里首先需要区分职业和专业这两个术语的基本含义（见表1）。

表1　专业与职业的区别

| 项　目 | 专　业 | 职　业 |
| --- | --- | --- |
| 工作基础 | 工作实践以专门知识和专门技术为基础 | 工作实践以经验和技巧为基础 |
| 工作特征 | 工作过程需要心智和判断力 | 工作过程以重复操作为特征 |
| 自主权 | 工作需要自主权 | 工作需要服从指挥 |
| 入职条件 | 工作者一般需要接受高等教育，学习高深学问和专门知识 | 一般从业人员通过学徒培训即可 |
| 工作要求 | 工作需要不断更新知识、掌握新工具，新方法 | 工作中日益熟练和灵巧 |
| 从业资格的易获得性 | 从业资格不易获得 | 从业资格容易获得 |
| 工作目的 | 服务社会 | 谋生手段 |

简单地说，专业就是需要特殊训练和特殊技术的职业，是职业发展的高级阶段。国外有些学者认为，所谓"专业"，是指需要专门技术的职业。当一群人经过长期的训练，从事这一职业，为社会提供某项专门性的服务时，这群人就构成了所谓的"专业人员"。早在1948年，美国教育协会就提出了"专业"应该具备的八条标准，即：

（1）专业实践属于高度的心智活动；

（2）具有特殊的知识领域；

（3）受过专门的职业训练；

（4）经常不断地在职进修；

（5）视工作为终身从事的事业；

（6）行业内部自主制定规范标准；

（7）以服务社会为最高目的；

（8）设有健全的专业组织。

英国人霍伊尔也曾列举了有关专业的十项特征①：

（1）专业一般是一项必需的社会服务；

（2）这种服务不能靠常规的操作，而必须由专业人员按情况做出判断与采取措施；

（3）专业人员必须掌握某方面的系统知识；

（4）此类的系统知识，一般需要通过高等教育才能获得；

（5）由于工作的非常规性特点，专业人员必须有足够的自主权，方能提供有效的服务；

（6）专业人员往往有自己的专业组织，并且往往以守则的形式规定专业内部的操守；

（7）专业人员必须经过长时间的专业训练，这类训练也包括专业价值观的修养；

（8）专业价值观的核心，是以服务对象的利益为上；

（9）由于专业的非常规性质，因此专业人员通常应该对与专业有关的政策有足够的影响力；

（10）由于以上种种理由，专业人员通常拥有较高的社会地位，且获得较高的社会报酬。

将这些特征综合起来，大致可以归纳出构成"专业"的八大要素：

---

① 转引自程介明，等. 教育行政 [M]. 香港：香港公开进修学院出版社，1997：330.

完整的知识系统、长期的培养训练、严格的资格认证、较大的自主权力、不断的在职进修、健全的专业组织、良好的职业道德和较高的社会地位。

显然，医生、律师、会计师等职业都具有专业的特征，他们需要掌握专门的知识，需要长期的专门技术训练，需要随着新技术的更新而不断进行在职培训，他们在为社会提供服务时更加具有自主性。那么，教师是否符合专业的特征呢？

首先，我们从国家规定的教师从业标准来看，国家对从事教师职业的人员有着较高的学历要求，而达到这样的学历标准需要长期的专门训练；其次，从事教师职业的人员还需要专门的知识和技能，不仅需要学科知识，而且还要有将学科知识转化为符合学生需要的知识的能力；再次，即使已经入职，教师在教学过程中仍然需要不断学习和培训，以提高专业技术能力，否则就会被淘汰。因此，从教师职业所表现出来的这些特征来看，教师完全符合"专业"的要求。实际上，国际劳工组织和联合国教科文组织在《关于教师地位的建议》中早就明确提出："教师工作应被视为一种专门职业。"我国在 1994 年颁布的《中华人民共和国教师法》中也对教师身份做了法律上的界定，即"教师是履行教育教学职责的专业人员。"英国学者霍伊尔在其所著的《教师角色》一书中对教师专业的标准做了如下概括：（1）履行重要的社会职责；（2）系统知识的训练；（3）需要持续的理论与实践训练；（4）高度的自主性；（5）经常性的在职进修；（6）团体的伦理规范。①

可见，"教师是否是专业人员"已经不再是一个问题，而且，随着教育教学复杂程度的增加，教学过程对教师专业化程度的需要也越来越高。所以，从 20 世纪中晚期以来，世界各国都把加强教师的专业特性和专业能力作为教师教育的重要内容。日本早在 1971 年就在中央教育审议会通过的《关于今后学校教育的综合扩充与调整的基本措施》中指出，"教师职业本来就需要极高的专门性，强调应当确认、加强教师职业的专业化

---

① 石少岩，丁邦平．试论英国教师专业发展的理念、现状与变革［J］．外国教育研究，2007（7）．

性质。"在英国，随着教师聘任制和教师证书制度的实施，教师专业化进程不断加快，20世纪80年代末建立了旨在促进教师专业化的校本培训模式。英国的教育就业部还于1988年末颁布了新的教师教育专业性认可标准，指出"在国际教师教育的改革中，教师不是单纯的任务执行者，而是教育的思想者、研究者、实践者和创新者"。

我国从21世纪初开始了全面的、大规模的课程改革。与以往历次课程改革所不同的是，这次课程改革不仅提出了更加科学完善的基础教育培养目标，而且在课程设置、教学方法和课堂组织形式等方面都实现了重大创新。课程改革所引发的知识观、教育观、学生观、教学观的变化对教师专业素质和专业能力提出了新的要求，教师专业水平的高低也成为制约课程改革成败的关键因素。因为，不管什么课程，都是通过课堂内教师与学生的互动来完成的，教师主导课程的解释权，正如我国课程专家钟启泉教授所说的"教师即课程"。再好的课程，如果教师的观念不新、教育方法和手段不新，新教材的"新"就无法体现。反过来说，如果教师观念新、方法新，即使是旧教材，也能教成新课程。比如，当前许多学校尝试的中国传统文化教育，诸如《三字经》《百家姓》《论语》《学记》等，这些流传千年的传统教育内容经过教师的精心设计后重新焕发出了经典著作的魅力，充分展现了时代特色。所以，新课程要想落到实处，避免"穿新鞋，走老路"，其首要任务就是更新教师的教育教学观念，不断提高教师驾驭新课程的专业能力。综上所述，我们不难看出，教学的确是一门专业。

## 二、教师的专业知识结构和能力结构

任何一门专业都有满足该专业从事社会服务所需要的特有的知识和技能。比如，律师需要掌握专门的法律知识，需要具备推理、判断和辩论的能力。那么，作为专业人员的教师应该具备怎样的专业知识结构和能力结构呢？（参见图2、图3）

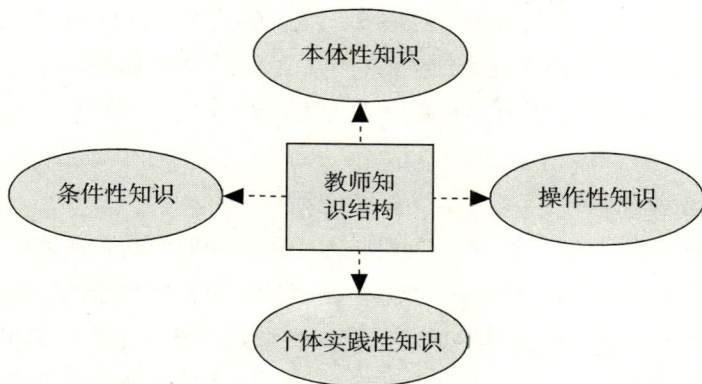

**图 2　教师的专业知识结构图**

## （一）教师的专业知识结构

### 1. 本体性知识

教学是分领域、分学科进行的，任何一个教师都不可能掌握所有学科的知识，不可能成为博学家，因此，教学领域各有分工。一个人要想成为教师，就必须根据个人兴趣精通某个学科领域里的知识，这些知识就是我们所说的本体性知识，或者说是学科专业知识，它是从事教学的必要条件。比如，你是语文教师，就必须拥有丰富的关于语言和文学的知识；你是数学教师，就需要对代数、几何等有比较深入的研究。

### 2. 条件性知识

一个掌握了精深语言知识的人，并不自然地就成为语文教师，他还需要其他方面的知识准备。也就是说，仅有本体性知识对于教师来说是不够的。因为，掌握知识与传授和呈现知识是完全不同的两件事情，前者更多的是独立完成的过程，而后者则是要运用所掌握的知识达到教化他人的目的，更多的是"我"和"他"的交流与对话。这种交流与对话往往比一个独立个体获取知识的过程要复杂得多，它需要更多的技能和技巧。教师要把自己所学的知识转化到教学过程中，为他人所接受，不仅需要了解知识本身的逻辑关系和生成特点，还需要深刻了解学生的心理、生理特点以及个性差异，这些知识我们称之为条件性知识。条件性知识对于教学来说同样是基础性的，也是从事教学的必要条件之一。这些知识可以通过阅读教育学和心理学，以及教学法方面的书籍来获取。

### 3. 操作性知识

通过什么样的方式、运用何种技术手段、如何编制直观教具使教学过程变得生动有趣，也是教学专业所需要的知识，这些知识我们可以称之为操作性知识。操作性知识对于提高教学效能具有十分重要的意义，而这些知识的获得不仅有赖于教师的阅读，更有赖于教师在实践中向他人学习，通过同行之间的相互切磋、相互模仿并结合各自的特点来不断提高教学技巧。实践中，我们经常会发现，很多教师在本体性知识和条件性知识上差距并不大，可是教学效果却相差悬殊，其中一个重要原因就是在操作性知识运用上的差异。具有比较好的操作性知识的教师，在课堂上通常能够掌握全局，就像一个出色的乐队指挥，能够随时通过一个小的动作，指挥着乐队每一个演奏者的行动，控制着整个乐队的节奏。也就是说，教师要学会在教学过程中熟练运用多种技术手段，使知识的表达更为直观和生动，更能调动学生学习的主动性。

### 4. 个体实践性知识

我们常说，"教无定法，贵在得法。"这说明任何方法本身并不存在优劣之分。教学方法运用的恰当与否不仅取决于教师对教材和学生的特点是否把握到位，更受影响于教师个人的教学风格。教学的艺术性和创造性也正是教师个人对于教学的理解和把握，以及根据教学场景的变化而表现出的随机应变的智慧。这些智慧就是教师的个体实践性知识。从内容上来说，教师个体实践性知识包括教师在实践中所形成的教育信念、对教学的自我认知、应对复杂教学事件的情境知识和策略知识等。

如果说本体性知识、条件性知识和操作性知识是外显的知识形态的话，那么，教师的实践性知识则是缄默的，是教师自己不能言说的知识形态，而这种知识形态恰恰在教师的知识结构中占据着很大的部分。假如把教师的知识结构看做是一座冰山，水上的部分代表了前三种知识形态，而深藏在水下部分的则是教师的个体实践性知识。这种知识直接决定了教师在教学过程中的创造性和教学效能的发挥，这也是教师之间千差万别的根源。教师个体实践性知识的获得是一个十分复杂的过程，不仅需要教师有深厚的理论素养，还需要教师在实践中不断积累丰富的经验，不断创造性地运用最新的教育教学理论解决教育实践问题。

当然，以上对于教师专业的知识体系所做的分类只是相对的，本体性知识、条件性知识、操作性知识和教师个体实践性知识并非截然分开的知识类别，四者之间互为条件、相互支撑，只有把它们进行有机的渗透与整合，教师专业自主发展才会顺利展开，教学效能才能得到真正提高。

### （二）教师的专业能力结构

作为专业人员，教师仅有一些静态的知识结构还是不够的，还需要具备一些把知识运用到教学过程中的能力。尤其是在当前信息社会和课程改革的背景下，教师所需要的专业能力比以往任何一个时候都要多，其能力结构主要包括两个层次（如图3所示）。

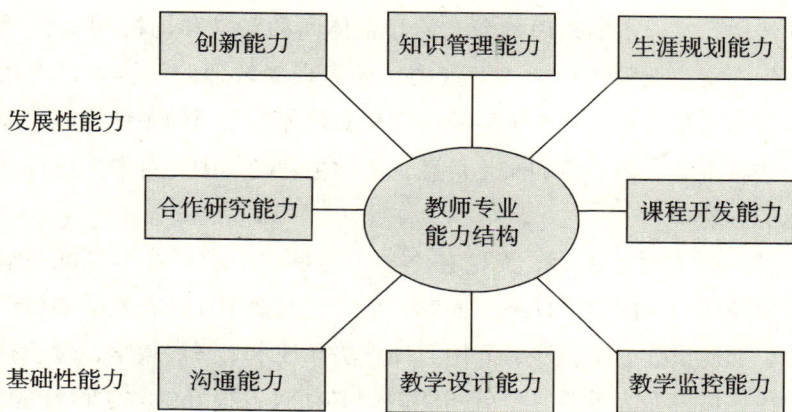

**图3　教师能力结构图**

1. 基础性能力

任何一门专业都对从业人员有一个基本的能力规定，这个规定就是该专业的基础性能力。教师作为承担教学任务的专业人员，从其所面临的对象、工作的场所和内容，以及追求的目标等方面来看，教师至少应该具备三个方面的基础性能力。

（1）沟通能力。现代教育教学理论已经不再把教学看成是知识输出和接受的过程，而是师生之间交流和对话的过程，所以，国内有学者提出"教育即沟通"的命题，也就是说，教育的实质就是师生沟通的过程。

日常教学中，同一堂课，相同的教学内容，甚至是同样的学生，有的教师把握起来得心应手，有的教师却搞得死气沉沉，其主要原因是教师沟通能力存在差异，教学过程中无效和低效的沟通直接影响了教师的教学效能。因此，沟通能力对于教师来说是最为基础性的能力。所谓沟通，就是指"教育者与受教育者之间通过有效的语言和其他方式，运用合理协调方式形成互识或达成共识的一种人际沟通，它是发生在特定行为者经验视界之间的信息传递、相互对话（含批判性思维）、意义理解和建构，它寻求的是理解个人的和主体间的意义和动机"①。沟通能力不仅表现为教师的口语表达能力，还表现为教师的肢体语言表达能力。教师正是通过有声或无声的语言来实现师生之间的顺畅沟通，来传达一些看不见、摸不着的文化信息，使学生陶冶其中，对学生进行潜移默化的影响。

（2）教学设计能力。无论在小学，还是在中学，差不多每一堂课都需要完成一定的教学任务。面对一个特定的教学任务，教师如何组织教材、如何设计教学程序、采用何种方法和技术来开展教学，对于教师来说往往显得尤为重要。这就需要教师必须具备很好的教学设计能力。

---

① 张东娇. 教育沟通论［M］. 太原：山西教育出版社，2003：36.

好的课堂设计可以使课堂教学跌宕起伏、妙趣横生，可以一下子紧紧抓住学生的注意力，激发学生求知的欲望。

举一个例子，中学语文课本里有一篇鲁迅的文章叫《孔乙己》。多少年来，很多教师在上这一课时，程序上都大同小异。首先，让学生把作者写这篇文章的背景介绍一下，然后让学生找出文中描写孔乙己形象的一些词汇，接下来就是对课文进行分段，归纳出文章的段落大意和中心思想等，往往是一些程序化的、固定的模式，没有什么新意。但是，有一位教师在上这一课时却别出心裁。他一上课就把学生分成五个小组，然后给每位学生和每个小组各发了一张《孔乙己简历表》（参见表2），让每位同学先对照课文填写这张简历表，然后由小组讨论，写出各小组对孔乙己这个人物的印象和看法，最后交由全班讨论，形成对孔乙己这个人物的总体认识。

**表 2　孔乙己简历表**

| 姓　名 | 孔乙己 | 籍　贯 | | 出生年月 | |
|---|---|---|---|---|---|
| 学　历 | | 身体状况 | | 特　长 | |
| 工作单位 | | | | | |
| 主要社会关系 | | | | | |
| 工作生活经历 | | | | | |
| 主要成就 | | | | | |
| 主要优点 | | | | | |
| 主要缺点 | | | | | |
| 总体评价 | | | | | |

学生拿到这张表后，满怀好奇、兴奋异常，带着问题很快就进入了课文内容学习中。学生先是自我理解，自我寻找，自我填写，然后是同学间热烈的交流和讨论，课堂气氛十分活跃，学生的主动性、理解力、想象力和合作能力都得到了很好的锻炼和发挥。尤为重要的是，这精妙

的设计一下子使学生从台后走到了台前，促使学生从被动听讲变为主动探究。显然，一个巧妙的教学设计，能有效激发学生的兴趣，迅速把学生带入教学情境中。

教学设计在西方国家的教学中表现得尤为重要。我们一般认为西方的基础教育课堂十分自由放任，而实际上却并非如此。他们的每堂课都是经过教师周密设计的。我国著名教育家顾明远先生讲教学改革时，经常援引美国基础教育中的三个例子。①

第一个例子是初中一年级的艺术课。教师说："这个学期学习传统的和现代的绘画艺术。我不会讲著名艺术家的知识，而是让你们自己去调查研究这些艺术家，找出他们的代表作品，找出他们的艺术风格和艺术特色，介绍他们的代表作与他们的流派，然后给我们全班同学做一个报告与表演。而后向全班同学布置一个作业，按照你报告的那种艺术作品形式来完成。"学生对教师的布置都拍手叫好。下课后，就纷纷选择自己喜欢的艺术家。第一位学生选的是达·芬奇，他向大家介绍了达·芬奇的生平、代表作品以及艺术风格，然后向同学布置作业——用达·芬奇现实主义的方法画你身旁的同学，学生很快都高兴地画起来。

第二个例子是生物课。教师布置，这次作业是采集树叶，课本中已经列出了二十多种树叶。教师说，我不会给你们树叶检定表，而要你们自己去找到树叶的图像。你们可以查阅参考书、上网或者找植物学家咨询。采集树叶后要查出每一种树叶的正式名称、树叶结构、树叶附属物、树叶排列、树叶形状、树叶边缘和树叶脉型。然后教师教学生如何画树叶。这个作业要求在两个星期内完成。课后，学生到处去找树叶、找资料，并将找出来的树叶进行对照，写出了作业。

第三个例子是高中一年级的历史课。这一学期讲 1898—1945 年的世界史。布置的作业是"历史文体组合：1898—1945"，包含十个内容：历史事件表、历史人物专访、对历史人物的讣告、对历史人物的颂

---

① 顾明远，李敏谊. 顾明远教育口述史. 北京：北京师范大学出版社，2007：152－153.

文、历史电影评论、一本书的书评、史评、一副历史画的画评、假如历史可以假设、献辞。作业的封面有两个要求：一是要采用对美国历史的艺术表达形式，二是要镶嵌历史名人的名言。这个作业要求两个月内完成。其中有一位学生选择的历史事件是第二次世界大战中的东方战场，历史人物是陈纳德，写颂文和讣告的是宋庆龄。

由此，我们不难看出，教师教学设计的艺术和能力在西方基础教育的课堂中是多么重要，他们不仅对一节课进行精心设计，而且对两个星期、一个月、两个月，乃至一学年的课程在上课之前就已经精心设计好了。

（3）教学监控能力。一堂课能否顺利开展，能否取得预期教学效果，不仅有赖于教师的沟通能力和教学设计能力，而且还与教师的课堂管理能力密切相关。按照北京师范大学心理学教授林崇德的说法，这种课堂管理的能力就是"教学监控能力"。林崇德认为，"教学监控能力"是教师的核心能力，没有监控就没有课堂教学秩序的存在，也就不会有好的教学效果。尤其需要说明的是，随着中小学课程改革的实施，特别是强调要实行研究性教学后，许多教师都在抱怨课堂秩序的混乱和失控，以及由此导致的课堂教学质量的下滑。很多教师开始怀疑课程改革所倡导的一些新的教学理念和教学方式，甚至，在极少数学校或教师那里还出现了一些对课程改革的抵触情绪。出现这些问题的一个重要原因是，课堂开放以后，教师原有的监控方式不能适应新的教育方式的需要。众所周知，在传统的课堂上，教学的秩序主要是依靠"师道尊严"的观念和教师"居高临下"的位置，甚至在一些课堂里用一些不恰当的惩罚手段来维持。这种传统的对课堂的监控方法是外在的，是压制型的，因而在很多情况下也是难以令人信服和接受的。真正的课堂监控能力更多的是建立在师生平等的基础上，需要教师有高超的"分神"能力，能够一边教学，一边密切关注学生的课堂反应，能够准确、及时地处理课堂突发事件，保证课堂教学的质量。

### 2. 发展性能力

世界是变化的，教学也在不断变化。对于教师来说，不存在一劳永逸的教学知识、方法和手段，教师的知识和能力需要随着时代的发展和变化而不断更新。举个例子来说，以前在多媒体还没有进入课堂的时候，教学过程使用的多是黑板、粉笔及一些纸质的材料，教师有无电脑操作能力和信息处理能力并不会太多地影响到教学的实施。然而，时至今日，随着现代教学技术手段的革新，多媒体的使用频率越来越高，网络也开始日益普及。这些变化对教师的能力提出了越来越多的要求，教师是否具备娴熟的电脑操作技能和较强的信息处理能力，往往直接影响到教学实施的成功与否和教学效能的大小。显而易见，社会的进步给教师带来了新的机遇和挑战。一方面，知识本身陈旧的速度在加快，10年前在大学期间所学的知识，10年后能直接用到课堂上的已经不多了。另一方面，知识的增长速度也在日益加快。教师如果不主动去学习，去适应环境的变化，那么这种"一支粉笔、一本书、三尺讲台、十年教坛"，"以不变应万变"的做法就有被淘汰的危险。教师要在教育实践中不断汲取新的知识，不断掌握新的技能，就需要教师具备发展性能力。教师的发展性能力主要包括以下几个方面。

（1）合作研究能力。教学专业与其他专业最大的不同就是工作对象的差异。教师所面对的不是静止的物体，而是一个个具有主动性的鲜活的生命，教学的复杂性、艺术性和创造性皆由此而生。看似惯常的教学活动几乎没有一点是重复的，教师不断被置于新的教学情境中，面对新的问题。而这些问题都是个体性的、偶然性的、情境性的，没有现成的、拿来即可用的解决办法，需要教师自己去反思、去寻找问题的根源。所以，研究是教师工作的一种常态。

培养教师研究能力的第一步是培养教师的批判和反思意识。教师只有摆脱日常经验的困扰，对看似平常的教学现象保持批判的态度，才能发现隐藏在教学现象背后的深刻的教育问题。也只有通过日常教学反思，才能"以小见大"，以敏锐的眼光去捕捉那些教学中的细微之处。任何一个人对发展的需要都是从对当下的不满意开始的，这种不满意来源于对自身实践的批判和反思。换句话说，反思是"专业人士"表现出来的一种普遍的素质，也是"专业"生活方式的一部分。甚至有学者提出"经验＋反思＝教师专业成长"的公式。教师对自我或自己的教育教学活动有意识、有目的地进行审视、深思、探究与评价，是教师提高自身教育教学效能和素养的基本方式。美国著名学者布鲁克菲尔德在《批判反思型教师ABC》中指出："由于我们从来不可能对自己的动机和意图完全了解，由于我们经常会错误地理解别人对我们行动的感受，那么对我们的实践采取非批判性的立场将会导致我们的人生充满挫折。"①

　　对教学采取批判反思的立场，有助于我们避免掉进经验的陷阱。没有反思的经验是狭隘的经验，它可能是教师专业成长最大的障碍。不加反思地重复已有的教学经验是许多教师专业能力退化、教学效能低下的重要缘由。如果一个教师仅仅满足于获得经验而不对经验进行深入的思考，那么，他充其量只是一个"熟手"、一个"教书匠"而已，永远不会成为"研究型教师"或"专家型教师"。因此，只有教师自己才能改变自己，只有当教师意识到自己经验的局限性并通过反思进行批判、调整和重构后，才能形成先进的教育理念和个人教育哲学。下面的这个案例就充分体现了反思对于教学的重要意义。

[案例]　　　　**那次，我差点犯错误**

　　人教版《小学数学》教材第11册第116页例4："街心花园中圆形花坛的周长是18.84米。花坛的面积是多少平方米？"教学时，我采用尝试法，先让学生独立解答，再集体交流。巡视时，我发现绝大部分同学都想到了先求出圆的半径，再求出圆面积这种方法。唯独A同学列

---

　　① 马菁菁，谌启标．教师反思研究与专业成长［J］．基础教育参考，2006（11）．

出了这样的式子：（18.84÷2）×（18.84÷3.14÷2）。我思考片刻以后，看不出有什么道理，心想：这孩子真是不动脑筋，怎么会这样列式。集体交流时，看到 A 同学高高举起的右手，我无可奈何地让他报出式子，并听他讲述理由："我是采用上一节课学习的推导圆面积公式的方法，将这个圆剪拼成一个长方形，这个长方形的长是圆周长的一半，即 18.84÷2，这个长方形的宽就是圆的半径，即 18.84÷3.14÷2。"

讲得多好啊！我惊呆了，全班同学也都不由自主地报以掌声。他的这种解法，正是在完全领悟了上一节课圆面积推导公式的基础上得出的，且方法简洁明了，我大大地表扬了他，并给他的星级榜上加了一颗闪亮的金星。

课余，我陷入了沉思：好险哪，我差点犯下了不可饶恕的错误。如果我不是那么民主，如果课堂气氛不是那么和谐，如果我没有耐心地听他讲理由，我就会扼杀了他的创造性，可能会遏制了他学习数学的兴趣，还可能会影响他整个的人生……这该是多么深切的启示啊——教师要尊重每一位学生，认真推敲学生的每一条意见！让我们了解学生再深一些，全方位、多角度地想问题，预测课堂；也让我们的课堂更民主、更和谐一些，我们要善于引导学生主动地交流学习感受，勇于各抒己见，倾听各种声音。这样，我们的课堂一定会充满笑声，充满成功，并且会收到意想不到的效果。①

有一句时髦的广告语叫"细节造就专业"，其实它的深层意蕴就是对工作精细的研究态度和扎实的研究能力，因为没有研究就没有问题，没有问题就不可能有专业能力的提高。教师不仅要研究学生，研究教学内容和教学方法的每一个细微之处，而且还要研究最新的教育教学理论，甚至是科技发展的前沿性知识。因为，今天的学校已经不再是一个封闭的体系，它与社会的联系已经变得日益紧密。

---

① 杨小微. 教育研究的原理与方法 ［M］. 上海：华东师范大学出版社，2002：213.

当然，教师的研究不是一个人的孤军奋战和冥思苦想，它需要与同事的沟通和合作。教学工作的特殊性和复杂性决定了教师仅仅依靠个体反思仍然难以实现专业发展的真正目的，教师需要开放传统上属于自己"独立王国"的课堂，需要与同事一起合作来共同发现问题和解决问题。因而，"合作"成为教师研究的关键性的定语。培养合作能力需要教师有一种平等开放的意识，有不耻下问、乐于助人的情怀；需要有不计个人得失，把促进学生发展作为教学唯一目的的教育信念和责任感。

（2）课程开发能力。课程是联系教师与学生的中介，是教师影响学生的重要载体。课程对学生发挥教育作用的大小很大程度上取决于教师对课程的解释深度，所以，我们常说"教师即课程"。另外，在新一轮课程改革中，国家确立了新的三级课程体系，即国家课程、地方课程和校本课程，学校被赋予了更多的课程权力，校本课程成为课程体系的重要组成部分。而学校的课程权力能否得到真正体现，新的课程观念能否在教学实践中得到很好的贯彻和实施，学校能否开发出符合学生需要的、带有浓郁地方特色的校本课程，都将依赖于教师是否具备并发挥他的课程开发能力。

（3）创新能力。创新是教学的灵魂，也是教学的最高境界。一个教师有没有创新能力是区别"经验型教师"与"专家型教师"或"智慧型教师"的根本标志。所谓创新能力，是指教师能否根据教学内容、场景和对象的变化，创造性地运用教学理论和教学方法达成教育目标的能力。创新既遵守基本的教育规律而又不囿于一些条条框框的束缚，充分体现出教学过程的空间和弹性，体现教师的教学机智。创新能力的培养不仅有赖于教师对教育教学观念的更新，更有赖于教师个体实践经验的积累，以及教师对教育教学理论的辩证理解和对教学方法手段的灵活运用。创新能力的形成需要教师有扎实的基础性能力作支撑。脱离基础性能力的培养，没有发展的意识和能力，教师的创新能力也就无从谈起。

（4）知识管理能力。在书籍和各种知识资源比较匮乏的时代，人们往往为了寻找到自己所需要的知识和信息而绞尽脑汁、费尽周折。今天，我们正处于一个被称为"知识爆炸"的信息时代，各种报纸杂志、数不清的书籍图画，特别是令人眩晕的网络信息扑面而来。与知识匮乏时代相比，知识的量早已不是问题，问题是我们恰恰为海量的知识所累。如何从海量的信息中迅速地将自己所需要的知识提取出来，如何管理好自己的知识系统，如何随着时代的发展不断更新自己已有的知识结构，等等。这些知识管理的能力将是现代教师实现自身发展所需要的重要的能力形式。

所谓知识管理，就是一种知识收集、整理、分析、分享和创造的处理过程。在这一过程中，原有的知识不断被修正，新的知识持续产生，新旧知识不断被保存、累积、转化和重新组合，并获得新的表现形态，使知识发挥了比分散状态下更高的效能。知识管理的最主要的目标乃是将个人或组织的内隐知识转化为外显知识，以及创造、利用和传播新的知识，使个人或组织能够采取迅速有效的决定和行动策略，以增加个人或组织的知识资产，提升个人或组织智慧，强化个人或组织的竞争力，以有效地达成行动目标。显然，知识管理能力是信息社会中教师必备的能力之一。如果缺乏知识管理能力，教师就不可能将多种知识形态进行有效地组织和利用，更不可能进行教学创新。

两个受过同样训练、有着相同教育经历的教师却有着截然不同的教学风格和教学效能，原因之一可能就是知识管理能力的差异。如同化学元素碳一样，以一种方式组合在一起是石墨，而换一种组合方式就成了金刚石。同样的元素，因组织方式的不同而价值迥异。正因为如此，管理学大师德鲁克把培根那句经典名言"知识就是力量"，改成了"知识只有透过有目的、有系统、有组织的学习，才会变成力量"。从培根到德鲁克，体现了随着信息社会的来临，随着知识总量的日益增长，人们对待知识的观念发生了变化，对知识的作用和价值有了新的看法。知识管理能力在知识社会中正成为每个人应该具备的一项重要能力。

（5）生涯规划能力。今天，学校所面临的教育环境和社会环境正在变得日益复杂，教学专业所面临的挑战也日益严峻。"做一天和尚撞一天钟"的教师已经不能适应教育发展和社会发展的需要，教师必须时时思考为什么做教师和怎样做教师的问题。也就是说，教师要根据时代发展对教师专业所提出的新要求规划自己的专业发展，要树立明确的、切实可行的专业发展目标，并根据自身所处的内外教学环境的变化确定和不断调整专业发展的内容和途径。只有对自己的职业生涯进行清晰的规划，才能确认人生和职业的发展方向，为日常的工作提供奋斗的动力和策略，也才能促使自己不断发现和评价自己的优点和缺点，准确定位职业方向。生涯规划还有助于教师重新认识自身的价值，发现新的职业机遇，增强自身的职业竞争力和使命感。

那么，是否具备以上所阐述的一些基本知识结构和能力结构，就可以做一名合格的教师呢？回答当然是否定的。任何一门专业技术人员除了具备该门专业所要求的基本知识和能力外，还必须接受一定的职业道德规范的约束，要体现一定的专业品质。比如，做律师的需要做到公正无私，要充分体现维护法律和社会正义的精神；当医生的需要有救死扶伤的社会情怀，要有对病人生命负责的高度责任感。对于"传道、授业、解惑"的教师来说，千百年来人们赋予教师更多的是精神导师和社会道德楷模的化身，所谓"红烛""园丁""灵魂的工程师"等，这些耀眼的光环都体现了人们对教师专业品质的期待，赋予了教师崇高的社会形象，同时也向教师提出了更高的道德要求。实际上，教师道德也是提高教师教学效能的重要因素之一，所谓，"亲其师，然后信其道"，"善教者使人继其志"，所阐述的都是教师道德示范的意义。所以，教师所应具备的专业品质不仅包括良好的职业道德、无私的奉献精神、坚定的教育信念和崇高的教育理想，还包括不断学习、精益求精的专业发展意识。也就是说，教师比其他专业技术人员要具备更优秀的专业品质。关于教师专业品质，特别是教师职业道德方面，已有不少研究成果，此处不再赘述。

当然，无论是教师专业知识和专业能力，还是教师的专业品质，都不是固定不变的，都是在社会和教育发展过程中不断被赋予新的内容。这就需要教师随着社会和教育的发展，不断研究新情况、新问题、新要求，做一名研究型教师，不断更新自己的专业知识结构和专业能力结构，砥砺更为卓越的专业品质，从而真正体现"学为人师、行为世范"的崇高内涵。

## 第三节　研究型教师的特征

在阐述研究型教师的特征前，我们先来看一个案例。

[案例]

某小学二年级有个男孩性格特别外向，经常扰乱别人的活动，并多次打人。老师们多次批评教育也没见效果，这让班主任陈老师伤透了脑筋。到底用什么办法才能制止他扰乱别人和侵犯别人的行为呢？陈老师决定找些儿童心理学和教育学方面的资料来看看，希望能找到新的解决办法。通过查阅资料，参照有关教育教学理论，陈老师了解了这个阶段儿童的一些特点，以及像他这样的儿童应该如何加以引导。于是陈老师决定尝试一种新的教育方法——奖励，并决定验证实施效果。在接下来的几周时间里，陈老师开始对他进行细致观察，将他的行为表现详细地记录了下来（见图4）。

第一周：观察该学生行为，摸清该学生扰乱行为发生的频率。他请学生帮忙记录该学生一天内扰乱他人和侵犯他人的次数，作为行为基线。在第一周的五天内，该学生平均每天发生扰乱他人的行为8次。

第二周：陈老师决定对该学生行为实行干预。他找该学生谈话，双方约定如果每天无扰乱他人行为就给一个奖品（该学生喜欢的小礼物或食品）。同时，依然按第一周的方法观察并记录扰乱频率，连接诸点，作频率曲线图，看奖励是否有效。从图4中明显可见，该学生的扰

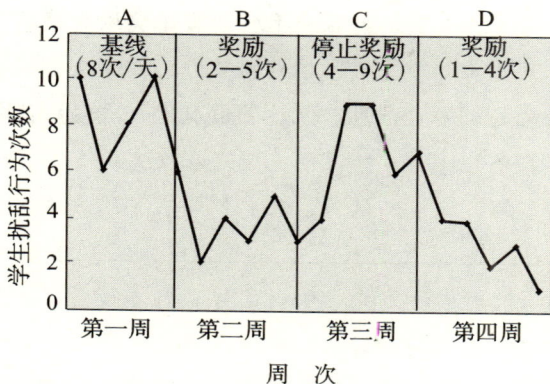

图 4　学生行为的观察记录

乱行为降至每天 2—5 次，平均每天不到 4 次。

　　第三周：停止奖励，看他的行为是否有反复。从图 4 可见，停止给奖品后，扰乱行为频率又开始回升到 4—9 次，并逐渐接近第一周所确定的基线。

　　第四周：再次恢复奖励，扰乱行为又下降至 1—4 次。

　　从以上四周观察的情况来看，奖励确实对改变该学生的行为有效果。但是，陈老师开始有了新的忧虑，一来不能总是这样给奖品，二来一旦该学生对奖品没有什么新鲜感了，奖励可能就会失效。于是，陈老师又开始思考和寻找新的策略。

　　关于儿童奖励，很多心理学书上不仅提到了"即时满足"，而且也提到了"延时满足"和"超前满足"。虽然即时满足对矫正和引导孩子的行为效果明显，但是如果经常采用也会使孩子感觉到奖励来得太容易，体会不到心愿达成后的满足与快乐，因而也就不会珍惜得到的东西，特别是容易使小孩子养成急功近利的坏习惯。所以，要以"延时满足"来教会孩子学会约束自己耐心等待，培养孩子的自我控制能力。

　　陈老师决定加长给奖品的间隔时间，从以前每天都发奖品，到 3 天内如果不发生扰乱行为给奖品。这样又坚持了两周，学生的扰乱行为还在减少，然后又改为一周，再后来干脆用言语奖励代替物质奖励了，陈老师发现一样有效。经过半个学期的努力，该学生的扰乱行为有了很大改变。在实施奖励期间，他不仅没有出现过一次侵犯他人的现象，而且原先好动、做事缺乏耐心的习惯也慢慢在改变。

通过这个案例，陈老师认为，采取批评教育的方法纠正孩子的错误行为并不是对所有的孩子一样有效。有时候，奖励也是一种很好的办法。但是，奖励的时间和方式方法也同样需要不断变化，否则，一种方式用多了或者把握不住奖励时机，教育的效果也会受到影响。因此，教师在教育教学中要根据孩子的年龄特点和个性特征，不断探索和尝试新的教育教学方法，这样才更加有利于孩子的成长。

与一般教师相比，这个案例中的教师更善于思考，善于在教学过程中寻找问题，积极寻求解决问题的办法。在寻求问题解决策略的过程中，教师不是仅仅依靠过去的经验，而是在科学的理论指导下，运用科学的方法去观察学生，记录学生的行为表现，在分析结果的基础上，找出一些规律性的认识。同时，教师并不满足当下问题的解决，而是反思新的策略有可能带来的新问题，然后，再次对过去的教学行为进行修改和完善。整个教育过程体现了教师严谨、求实的态度和探索精神。这也许是研究型教师与一般教师的根本区别。

其实，研究型教师并不神秘，也并非高不可攀。研究型教师是指教育领域中的这样一类教师：他（她）能积极主动地反思自己的教育行为，具有职业敏感性、科研意识和合作精神，能够采用一些客观的方法及时发现教育教学工作中出现的问题，并展开探究性行动，在综合运用教育教学理论和已有经验的基础上，能提出自己切实可行的改进方法。

研究型教师与一般教师的主要区别体现在两者对待工作的态度和寻求解决问题的路径上。研究型教师的工作不仅依靠已有的经验，而且通过不断的批判性反思来持续地改进自己的教学行为，表现出一定的研究性或创新性；一般教师在工作中则更多的是依靠已有的知识和经验，重在模仿，教学行为上表现出更多的"惯性"。研究型教师无论是在发现问题，还是在寻求解决问题的过程中多表现出一种客观、求真的态度，而一般教师在发现问题、解决问题时更多地依靠经验或主观判断。此外，研究型教师对待教学过程更加理性，能够不断对个体化的教学经验进行概括和抽象。

美国著名心理学家斯腾伯格曾经提出研究型教师或专家不同于新手的三个基本方面：一是知识方面，专家不仅要掌握所教学科的知识、如何教的知识以及如何专门针对具体要教的内容面施教的知识，而且还要具有从事科学研究方面的知识，尤其在专家擅长的领域内，运用知识比新手更自如；二是关于问题解决的效率，专家在专业领域内，能在较短的时间内比新手完成更多的工作；三是洞察力，专家比新手在专业领域内有更大的可能找到新颖和适当的解决问题的方法。从上面的案例和斯腾伯格的论述中，我们不难总结出研究型教师所具有的基本特征。

### 1. 有先进的教育观念和比较丰富的教育教学知识

比如，在上面案例中，教师就通过学习，了解了儿童的心理特点，知道应该如何看待儿童所出现的问题、应该采取什么样的策略更有效。即使孩子扰乱行为反复出现，甚至可以说是"屡教不改"，陈老师也没有气馁，而是不断去寻找新的解决策略。因为，他知道好动，甚至恶作剧是八九岁孩子的基本特征，孩子的行为问题没有得到很好矫正，恰恰是由于教师教育教学知识的贫乏。在具体的教学场景中，教师需要根据孩子的特点不断调整自己的教学策略。

所以，先进的教育观念往往是促进经验型教师向研究型教师转变的思想前提。只有用先进的教育观念作指导，教师才能自发地审视那些原先被认为是合理的教学过程，才会发现问题，并主动探索与新观念相符合的教学模式。也只有用先进的教育观念作指导，才能保证教师通过研究所确定的教学目标的正确性和教学手段的合理性。

观念是前提，但仅有先进的教育教学观念还是不够的，如何将先进的教育观念落实到具体的课堂实践中还需要教师找到切实可行的方法。

### 2. 有批判意识和探究精神，把"研究"作为一种专业生活方式

任何研究都起源于问题。研究型教师的一个重要特征就是善于在别人熟视无睹、司空见惯的地方找出问题。也就是说，研究型教师从来不认为很多教学行为是理所当然的，他敢于否定权威、勇于否定自己，喜欢在教学方法和手段上"独辟蹊径"。比如，案例中的教师没有采取通常的"批评教育"方式来对待犯错误的孩子，而是认为孩子错误行为的一再反复可能正是"批评教育"的失效，因而通过学习，努力寻找更为有效的方法。但是理论上的新方法是否真的有效呢？陈老师仍然是将信将疑，因此，他决定通过实验来看个究竟，这样就可以避免再次出现错误，或者由于新方法的不适当而巩固了孩子的错误行为。在此，陈老师没有照抄书本的做法，而是谨慎地进行观察研究，看看新方法使用前后，学生行为到底是否改变、有多大程度的改变。

学生之间的侵犯行为是一个司空见惯的教育现象，但陈老师就是在这样看似十分琐碎、十分简单的日常教育现象中表现出了浓厚的研究兴趣，并把研究活动与自身的教育教学实践紧密结合在一起。所以，研究型教师不是把研究看成一种额外的工作，而是把研究融入到日常教育教学实践中，把它作为一种专业生活方式。

### 3. 有敏锐的洞察力

专业的一个重要特征就是它对细节的关注和强调，所以有"细节造就专业"的说法。对于一个研究型教师来说，他与一般教师的区别还在于对教学细节的把握，而这种把握正是来自于教师敏锐的洞察力。很多教师在课堂上因为太专注于教学内容的讲授，不太关注学生的课堂反应，对课堂中出现的"小现象"熟视无睹，而教学的专业性就体现在教师在教学过程中对细小问题的发现和处理上。比如，我们在课堂上

经常会看到学生注意力不集中的现象，很多教师的常规做法就是反复提醒学生，甚至通过体罚的方式来纠正这些学生的行为，但却不去分析这些学生注意力不集中的真正原因。所以，一般教师很难找到适当的方法来解决这些司空见惯的问题，也就不可能提高自己的专业水平。在上面的案例中，教师根据学生的特点，敏锐地感觉到"批评教育"，甚至"惩罚"对改变该学生当前的行为已经没有多大意义了，因而需要及时改变策略。这种明察秋毫的洞察力对于教育教学问题的解决无疑是十分重要的。

### 4. 能够从理论上进行反思和概括自己的教学经验

研究型教师在教学过程中，不仅善于分析教材、研究学生，清楚教学中应该怎么做、为何这么做，而且能够对自己和学生在教学过程中所表现出来的行为进行理论上的概括和说明。上面案例中的陈教师在准备实施新策略之前，先对过去"批评教育"的做法进行了反思，然后从理论上寻找新的策略。通过对儿童心理特征和个性特征的了解，他采取了"即时满足"的办法适时矫正和引导学生行为，产生了很好的效果。但是，在取得一些成绩的时候，他并没有停止思考和研究。他发现"即时满足"在矫正学生行为过程中也存在很多弊病，要及时更换新的策略，以"延时满足"的方式来矫正学生行为，培养学生形成良好的行为习惯。由此可见，对自己的教育教学实践持续不断的反思和总结是研究型教师的一个主要特征。从一定意义上说，研究型教师就是"反思型"教师。正是在反思的过程中，教师实现了实践自觉和理论自觉。

### 5. 有高超的教育教学技巧

正是因为研究型教师具有敏锐的洞察力，善于发现问题，思考问题，并不断努力尝试新的教育教学策略，因而，从外在行为上看，研究型教师比一般教师具有更为高超的教育教学技巧。在日常课堂教学中，研究型教师更注意通过精妙的教学设计来吸引学生的注意力，促进学生积极思考。教师在教学过程中显得十分从容，游刃有余。课堂节奏鲜明、张弛有度。教师教得轻松，学生学得自在。

**思考题**

1. 你如何理解教学过程的不确定性？

2. 在课程改革的背景下，评价一堂课好坏的标准有哪些？

3. 教师的专业知识结构和能力结构主要包括哪些方面？

4. 你怎样理解教师个体实践性知识与教师专业发展的关系？

5. 为什么说研究要成为教师专业的一种生活方式？

# 2

# 我们需要什么样的研究

"教育研究不应该是专业人员专有的领域，
它没有不同于教育自身的界限。
实际上，研究不是一个领域，
而是一种态度。"

——布科海姆

## 第一节　关于教师研究的种种误区

长期以来，"科研"对于广大的中小学教师来说是一个非常"时髦"的词。在"分数至上"的应试教育体制下，教师的作用似乎只是帮助学生获得高分、帮助学校提高升学率。对于一般教师来说，"科研"似乎是件很遥远的事。在广大中小学，尤其是在农村学校，一个教师用一本教科书、一本教案执教十年的现象十分普遍。如果说中小学有科研，那也是学校从"升学率"出发，临时组织相关学科的教师，而且主要是考试科目的教师，一起研讨如何提高学生的考试成绩，如何提高学校在同类学校中的排名。因而，这种"科研"与我们所讲的教师研究有很大的差距，或者从根本上说是两回事。

我国中小学教育科研真正被提出是 20 世纪 90 年代的事情，是在全面实施素质教育的背景下对中小学教学改革所提出的新要求。但是，在"素质教育轰轰烈烈、应试教育扎扎实实"的整个 90 年代，中小学教育科研不仅没有受到应有的重视，反而沦为"应试教育"的工具，很多地方的教研活动基本上是以开展各类竞赛、提高学生考分为主要任务的。地方教研室整天忙着印试卷、组织比赛和考试、编制各类考试排名表，真正的教学领域却难以见到教研员的身影。不但如此，中小学教育科研甚至只被看成是教研员的事情，教师只是教研员服务的消费者。可以说，20 世纪 90 年代的中小学教研活动存在着严重的形式化趋向，对改善教学没有发挥真正的作用。

随着世纪之交课程改革的推进，传统的教育观念、教学观念和人才观念发生了巨大变化，学校教学领域也因此发生了深刻的革命。教学的目的不仅要向学生传授既成的知识，而且要让学生了解知识生成的过程和方法，更重要的是要培养学生的情感、态度和价值观；学习是学生主动探究世界的过程；学生和教师一样是教学活动过程的主体；教师不再是知识的传授者，而是教学过程的组织者和引领者……这些新观念的提出不断冲击着传统的教学领域，学校遇到了越来越多的挑战。与此同时，教师需要面对和处理的教学问题也越来越多，越来越复杂，越来越具有挑战性。以往那种依赖经验，以不变应万变的"招数"使得教师在充满变化的教学领域已显得力不从心，这就需要教师以开放进取的心态不断研究新情况、解决新问题。教育科研也随课程改革的春风迅速吹遍祖国大江南北的校园，一时间，几乎所有的学校都喊出了"科研兴校"的口号。时至今日，"科研"已经成为中小学教育教学改革的关键词，无论你走到哪所学校，他们都会把学校的"科研"成绩作为向来宾介绍的"看家宝"，堆积如山的各类文件和档案向你展示学校科研的丰硕成果，教师仿佛在一夜间都变成了研究者。

应该说，当前广泛开展的中小学教育科研的确在很大程度上为中小学教育发展作出了不少贡献，尤其是对新课程的推广和有效实施产生了积极的影响。但与此同时，由于缺乏明确的指导思想和切实可行的操作方法，中小学教师对教师研究的认识还存在不少误区。

## 一、教师研究就是"科学研究"吗

一提到研究，人们总是首先会想到复杂的设计、麻烦的抽样、堆积如山的量表、庞杂的数字、令人迷惑的统计分析，甚至浮现出一些科学实验的图景。在人们的印象中，研究是件很神秘、很复杂的事情，总是需要许多特殊的工具和方法，需要在特殊的环境中才能够进行，似乎教师研究也应该如此。这种"教师研究等同于教育科学研究"的观念使教师群体产生了两方面的分化。一方面，一部分教师对研究产生了畏难情绪，甚至以"研究是专业人员的事情"为借口对学校科研活动进行抵制。另一方面，也有不少教师把研究神圣化，认为既然是科学研究，那就得谨慎行事，不能造次，要研究教育中"有价值""有影响"的问题，因而不顾自己的能力和条件所限，一味地贪大求全。结果，很多教师在庞杂的问题面前，要么浅尝辄止，要么半途而废，即使偶有恒心，勉强做到底的，若发现自己的研究成果却对改善教学并没有什么帮助，因而也会有挫败感。

所以，把教师研究等同于教育科学研究，把研究过分神圣化，都脱离了中小学教育教学的实践，既不可能找到真正要研究的问题，研究成果也难以在中小学教育教学中得到普遍推广。

## 二、教师研究就是申报课题、做课题吗

研究与课题相结合是一件很好的事情，也是科学研究的常规做法，其意图主要是通过课题立项的方式为研究提供资助和支持。但研究并不

等于课题，没有课题同样能够开展很好的研究，而且，许多研究都是在研究者的兴趣激发下自发完成的。但是，当前很多教师都把研究与课题直接联系起来，一说研究，就认为是申报课题、做课题。许多教师追求课题立项的荣耀，以承担所谓"国家级""省部级""地市级"甚至"校级"科研课题为目标，似乎只有承担课题才能开始做研究，只有承担课题才能被别人所认可。一时间，"校校有课题、人人有项目"。应该说良好的课题设计的确有助于学校集中资源研究发展中所遇到的重点和难点问题，也有助于教师厘清思路、确定研究方向，并在一定的财力和政策支持下系统化地开展研究。但是，作为课堂实践者的教师，课题并不是其研究的代名词。由于中小学教师研究的问题主要是从教学情境中产生的，更多的属于一种微观的、随意性的和偶发性的研究，很多问题极具个别的特征，不具有普遍性和推广性，而这些问题往往对于某一个教师来说又是非常有价值的，是教师研究不可忽视的内容。比如，王老师在上数学课时发现总有一个学生打瞌睡，但这个学生在其他教师的课堂上却并没有出现这种现象。这个学生对于王老师来说就是一个极具研究价值的个案。只要王老师坚持对这个学生进行系统的观察和研究，就一定会有答案。而王老师大可不必为此小题大做，非要申报个课题才行。

## 三、教师研究就是发表论文或著书立说吗

一些学校为了促进和激励教师做科研，多采用物质奖励或与职称评定相挂钩的方式鼓励教师写论文、发表论文。这些做法原本无可非议，但一些学校在实践中却过于偏激，强迫教师每天写教学反思，然后交与学校编成论文集。所以，今天无论你走到哪所学校，只要他们开展过科研，往往都会有堆积如山的教师论文和各式各样的文字材料。有的学校甚至把教师是否发表过论文作为当年教师考核和职称晋升的标准之一。而且对教师发表论文的杂志级别也做了要求。这样一种论文取向的教育

科研对教师产生了严重的误导，使教师把教育研究简单地等同于写文章，也常常使得一部分教师不再关注课堂，不再关注学生，也不再冷静下来认真地思考教学过程，精心地设计教案了，而是整天忙着查找资料写文章，追求"妙笔生花"。这种"文章型"研究，掺杂了许多虚空的和功利的东西，结果，文章越写越多，而教学却越来越糟。有的教师甚至为了发表一篇论文，不惜动用各种社会关系到处寻找杂志编辑，有的甚至不惜重金雇佣"枪手"，花钱买文章。其结果是大量平庸的文章充斥市场，严重破坏了教师作为研究者的形象，也破坏了正常的教学秩序。

对于一个专业研究人员来讲，我们也不能把发表论文作为衡量研究者是否在做研究和研究水平高下的唯一指标。对于许多特殊领域的研究者来说，论文只是研究的一个附属性成果，而对于大多数研究者来说，论文或著作都只是研究成果的一种表达方式，中小学教师亦如此。

中小学教师的研究是在充满变化的鲜活的教育场域中发生的，有其自身独特的表现形式。案例、反思、叙事、日志、档案、教师的个人博客，甚至是与学生和同事的交流等，都是教师研究的表现形式。教师的所思、所想、所感、所悟并不是单纯规范的文字和严密的逻辑所能够承载的，刻板的叙述、烦琐的论据既无法生动反映教学过程的千变万化，也不是教师能够轻易驾驭的表达方式。教师的许多有价值的研究往往是缄默的，不需要以文字的方式来说明，而教师、学生变化了的行为就是教师研究成果最合适的注脚。

## 四、教师研究是少数人的业余爱好吗

在传统的教学生活领域中，教材、教学内容、教学方法都少有变化，教学目标往往是为了追求更高的学业成就，教师教学活动的整个过程基本上是教师独立完成的，很少与同事之间发生教学上的联系，教师不需要太多的变化就可以"以不变应万变"的方式轻松完成教学任务。

因此，多数教师都把研究当成是纯粹的个人业余兴趣，与教师课后所从事的其他活动没有多大区别。

如果教育科研是属于个人兴趣的事情，那么就没有必要让大家都去做。一所学校只要有几个"研究型"教师就够了，如同大学里的大师，都是学校的"名片"和"旗帜"。这种认识使学校科研活动变成了少数几个教师的"表演秀"，结果是"少数教师做科研，多数教师看科研"。绝大多数教师对教育科研采取旁观的态度，没有意识到教育科研活动对于自身专业发展的价值和意义。

## 五、教师研究是校长的"政绩工程"吗

行政推动是中小学教育科研发展的主要动力和支持机制，但由于教育行政人员特别是一些中小学校长，对教师研究的内涵和方式并不十分理解，对教师参与研究的价值和意义也不十分清楚，因而，在一定程度上存在着把"学校科研"看成是"校长政绩工程"的倾向。所以，贪多求全、造声势、盲目追求轰动效应。还没有做出多少成绩时，就不断向社会宣传，接受各种观摩和采访。校长把教师科研作为向社会宣传自己的一块广告牌，使得教师整日忙于应付公开课、各种方式的研究讨论，以及写日志、写论文、写教学反思和教学笔记，等等。结果，既加重了教师的工作负担，又占用了教师大量的时间。

显然，如果校长不能从根本上改变对教育科研错误的看法和态度，教育科研就很可能会在实践中"变调"。这样的行政推动不仅无助于学校科研的开展，反而会严重伤害教师参与科研的积极性。

总之，教师研究不是要作艰深的理论探讨，不是非要课题立项或者关起门来著书立说，也不是一两个科研骨干的"自留地"和教师独立表演的"科研秀"，更不是一场轰轰烈烈的教育运动和学校的政绩工程，而是教师在日常的教学实践中，在与同事的合作中不断地自觉地发现问题、解决问题的过程，是教师追求自身专业成长的过程。

# 第二节　教师研究的基本特征

教师对待教育科研的态度与教师对"研究"的认识有关。那么，什么是研究？在研究取向、方法和路径等方面有何区别？这一系列问题都需要在教师真正开始研究之前作进一步的澄清。

## 一、如何理解"研究"

"研究"这个字眼在一般人的眼中是一件十分正规和严肃的事情，有时还多少有点神秘，因而，多数人对于"研究"都采取敬而远之的态度。其实，研究在日常生活中无时不在、无处不在。一个小孩蹲在路边观察蚂蚁如何搬运食物；家庭主妇探索一道新菜的烹饪方法；农民根据天气变化、旱涝情况确定当年种植作物的时间和种类……凡此种种，都是研究。同样，教师细心地观察一个孩子的学习情况、记载下一个孩子的成长过程、寻找孩子学业成败的原因，也是一种研究；而科研人员在特定仪器的帮助下发现人体基因的结构和类型、社会调查人员用特制的问卷和表格调查人们的生活满意度等，又是另外一种研究。可见，研究是分层次、分类别的，既有广义的研究，也有狭义的研究。从广义上来说，我们可以把对未知事物的探索过程都称为研究，比如，上面提到的小孩观察蚂蚁搬运食物、家庭主妇探索新菜肴的情况。一般来说，这种广义上的研究比较随意，既没有理论上的特别要求，也没有方法、工具和程序上的特别规定，它可以随时发生，随时结束。可见，广义的研究更多地是指对待未知事物的一种态度。而狭义的研究则是指学术研究或科学研究，如上面提到的人类基因研究和社会生活满意度研究等，这种研究一般来说比较规范、严格，对研究人员的理论基础和研究的方法、工具和程序都有明确的规定。

## 二、何谓教育研究

如何界定教育研究？实际上，教育研究也有广义和狭义之分。从广义上讲，教育研究可以看成是教育工作者对待教育的一种态度。当一个教师准备走上讲台之前，如果他不是把教材、教学程序、教学方法看成是机械的固定不变的模式，而是从了解学生入手，对已有的教学内容经过恰当的筛选和加工，然后选择合适的教学方法，这种过程本身就是一种研究。而从狭义上来看，教育研究属于规范研究的一种，是基于一定的观念、方法和途径对教育问题的一种探究、研讨过程。

我们可以按照不同的标准将教育研究分成许多不同的类别。

1. **按照研究目的进行划分，可以分为基础研究、应用研究和开发研究**

所谓基础研究就是研究教育的事理，揭示教育活动本身所固有的法则或规律，也称"纯研究"或"理论研究"，其目的在于发展和完善理论。通过研究，寻找新的事实，阐明新的理论或重新评价原有理论。基础研究与建立教育科学的一般原理有关[1]，例如，关于教育功能、教育目的和教育本质等理论问题的研究，都属基础研究。

应用研究是将基础研究所揭示的法则或规律运用于教育实践活动，以直接指导或改进教育实践活动，提高教育实践活动的有效性与合理性。应用研究可以说是基础研究成果在教育实践中的延伸。比如，关于课堂中合作学习的研究、关于综合课程的教学研究、关于学生道德认知发展状况的研究等，都属于应用研究范畴，这些研究是对现有的有关合作学习、综合课程和道德认知理论的一种实践检验。

基础研究旨在认识世界，增加科学知识本身，一般不需考虑研究结果能在什么地方付诸实践，也不一定会产生直接有用的结果；而应用研

---

① 裴娣娜. 教育研究方法导论 ［M］. 合肥：安徽教育出版社，1995：10.

究则旨在改造世界，根据已有的理论解决某些特定的实际问题，为实践者提供直接有用的知识。

开发研究，又称发展研究，是指运用基础研究和应用研究的成果，为解决教育改革和发展中的问题而创造性地提出或制订可操作的方案、计划、对策及建议等。比如，关于学校发展规划问题、关于教师激励方案的制订等研究。

三种研究类型之间有这样的逻辑关系，基础研究回答的是"是什么"，应用研究回答的是"做什么"，而开发研究回答的是"怎么做"。①

**2. 按照分析方法进行划分，可以分为定性研究与定量研究**

定性研究是指研究者运用历史回顾、文献分析、访问、观察、参与经验等方法获得教育研究的资料，并用非量化的手段对其进行分析、获得研究结论②。近几年来，我国有不少学者提出了一种新的社会科学研究方法，即"质的研究"，实际上，如果不做太细致的划分的话，它与定性研究没有太大的区别。按照北京大学教育学者陈向明的说法，质的研究是以研究者本人作为研究工具，在自然情境下采用多种资料收集方法对社会现象进行整体性探究，使用归纳法分析资料和形成理论，通过与研究对象互动对其行为和意义建构获得解释性理解的一种活动。③

无论是定性研究还是质的研究，都具备以下几个方面的基本特征。

（1）把自然情境作为资料的直接来源，而且研究者将自身作为收集资料的主要工具。

（2）研究者更关心的是研究的过程而不是研究的结果和产品。

（3）在分析资料的过程中倾向于用归纳法进行自下而上式的分析，而不是演绎的方法。

（4）研究者非常注意参与者的看法，以及参与者是如何解释他们

---

① 韩吉珍. 研究性学习与中小学教师的教育研究 [J]. 教育理论与实践，2003（7）.
② 袁振国. 教育研究方法 [M]. 北京：高等教育出版社，2000：137.
③ 陈向明. 教师如何作质的研究 [M]. 北京：教育科学出版社，2001：12.

自己的看法的。研究者经常从被研究者的角度出发，了解和体验他们的思想、情感、价值观、行为的意义及其被研究者的解释。

定量研究是一种对事物可以量化的部分进行测量和分析，以检验研究者自己关于该事物的某些理论假设的研究。定量研究有一套完备的操作技术，包括抽样方法、资料收集方法、数字统计方法等。其基本步骤是：研究者事先建立假设并确立具有因果关系的各种变量，通过概率抽样的方式选择样本，使用经过检验的标准化工具和程序采集数据，对数据进行分析，建立不同变量之间的相互关系，进而检验研究者自己的理论假设。[①]

但是，定性研究和定量研究并无孰优孰劣之分，在很多情况下教育的两种研究是同时使用的。

3. 从研究内容进行划分，教育研究又分为价值研究和事实研究

价值研究要回答的问题是：因为什么、为谁、为什么目的、许诺什么、多大风险、应优先考虑什么，等等。价值研究的基本目的是确认某种目的是否值得为之争取，采取的手段是否能被接受以及改进系统的结果是否良好。比如，教师在教学中应该优先考虑和照顾哪些人、应该采用什么样的标准来评价学校的发展，等等。

事实研究也叫行为研究，要回答的问题是：是什么、在什么时候、到什么程度，等等。事实研究对事物、事件、关系和相互作用等进行描述、观察、计数和测量。事实研究要求研究者把尊重客观实际放在首要地位，一定要注意排除各种干扰和主观因素，尤其不能依据个人或上级的价值观念臆造事实。比如，调查一个班级里的师生关系状况、某个学生的家庭教育方式，等等。

## 三、教师研究与专业研究的区别

从教师和专业研究人员同时作为研究主体来看，上述的每一项研究

---

① 陈向明. 教师如何作质的研究 [M]. 北京：教育科学出版社，2001：15.

对于两者来说并没有什么区别。但由于教师研究是在教育教学场景中发生的，而且教师又相对缺乏一些研究所需要的理论和方法准备。所以，教师研究与专业研究还是存在一定的差别，特别是在研究定位、研究任务和研究目的上。

首先，中小学教师的基本任务是搞好教学，教学是教师一切工作的出发点。教师研究既来源于教学又服务于教学，是为了提高教学质量，促进学校发展，从而最终为学生发展服务的。而专业研究者的研究则是为解决学术发展过程中所遇到的重大理论和实践问题服务的，其主要目的在于推动该领域的学术发展。

其次，一般而言，中小学教师在培养过程中大多没有接受过系统严格的关于学术研究的理论、方法和技术的训练，因而，不可能从事比较复杂的、大规模的研究，也不需要回答教育发展中的重大理论问题和实践问题。教师研究的问题相对来说比较微观，比较具体，研究方法和程序也相对简化。而对于受过系统的、严格的学术训练的专业研究者来说，在研究的理论、方法和程序上都有比较严格的要求。

最后，研究型教师在研究中往往承担着双重角色。一方面，教师是研究的主体，需要不断地观察教学过程中所发生的一切现象和问题。另一方面，教师自身又是自己的研究客体。由于教学过程是师生之间的互动过程，教师往往需要在教学活动现场思考自身行为与学生行为之间的关系。因而，教师自身的教育教学行为也是教师研究的主要内容。而专业研究者的角色相对比较单一和固定，研究对象和研究者之间的界限是比较清晰的。尽管在许多人类学和社会学的研究中，研究者也可以进入研究的现场，但研究者在精神上和思想上仍然是独立的。研究者必须以自己敏锐而独特的"嗅觉"来感知和分析研究场域所发生的一切，而研究者自身的行为与研究对象行为之间并不存在密切的互动关系。

由于作为研究者的教师与专业研究者存在着知识结构和角色上的这些差异，因此，中小学教师的教育教学研究与学术研究存在着许多不同。两者既有不同的问题域，也有不同的研究目标和任务，并且遵照不

同的研究方法和程序。（参见表3）

### 表3　教师研究与专业研究的区别

|  | 教师研究 | 专业研究 |
| --- | --- | --- |
| 研究目的 | 提升教育教学水平，获得教育教学专业能力，促进教师、学生和学校发展 | 发展或检验假设，解释或预测产生可推广的结论 |
| 研究人员 | 一线教师为主，学者专家提供支持，注重人员民主参与和合作协商 | 学者专家为主，其他人员协助 |
| 研究基础 | 不需要太多的研究积累，以个体经验为主 | 需要相当程度的研究积累，且要求一定的学术基础 |
| 研究问题 | 来源于教学实践 | 来源于理论和实践两个层面 |
| 研究方法 | 多阅览可用的二手资料，概括了解周围取样，不要求代表性，要求针对性<br>一般采用简便易行的方法收集资料 | 广泛阅览一手资料，全盘了解抽取具有代表性的样本<br>采用具有信度、效度的测量技术 |
| 研究设计 | 比较松散，在研究过程中可随时修改，不太关注控制无关变量和减少误差 | 严谨设计，控制无关变量<br>根据计划，按步骤严格实施<br>重视研究的信度和效度 |
| 资料分析 | 简单分析，多呈现原始资料，注重实用性 | 分析技术复杂，呈现分析后的资料，多强调统计显著性、推理一致性或事件深层意义的诠释 |
| 成果表现形式 | 成果表现形式多样，依实际需要而定，无统一格式 | 论文、著作、研究报告为主要成果表现形式，有严格的学术规范上的要求 |
| 成果应用 | 强调实用性和对教师个体的意义 | 注重结果的意义、理论的显著性和可推广性 |

　　日常教学实践中，由于大部分中小学教师对教师研究的涵义、性质、形式和功能的认识都不太清楚，因而不能与学者的专业研究区分开

来，存在着许多认识误区。这些认识上的误区影响了教师对教学研究的态度，多数教师要么对"研究"顶礼膜拜，要么消极抵制。总之，对学术研究和教师研究不作区分的状况和态度成为制约广大中小学教师顺利开展科研的一个重要前提因素。

当然，以上对教师研究和学术研究所做的区分只是相对的，两者并不存在截然不同的界线。就研究的本质而言，无论是小孩蹲在路边观察蚂蚁搬运食物，还是教师观察分析一个学生课堂行为的变化，都与上述所提到的诸如人类基因研究等学术研究是相同的。

## 四、教师研究的基本特征

专业研究者主要从事理论研究和基础研究，同时兼顾应用研究和开发研究，这些研究，特别是前者追求科学知识的新发现和科学理论体系的构建。而对于广大中小学教师而言，由于直接面对教育实践中的实际问题，研究主要以应用研究和开发研究为主，着力解决教育教学中的实际问题。相对于专业研究者的个体式研究而言，教师研究更多地采用同事之间的合作研究；在研究方式上，也更多地表现为一种行动研究。正如林崇德先生所描述的，教师参与教育教学研究的特点是"面向实际、站在前沿、重在应用、加强合作"[1]。日本学者佐藤学也认为"对教学的研究原本就是'实践性研究'，其主体是教师。教学研究的目的在于改进教学，其内容在于实践性问题的解决。"[2]

根据以上分析，参照众多学者对于教师研究的理解，我们可以概括出教师研究的几个基本特征。

---

① 林崇德. 学习与发展——中小学生心理能力发展与培养 [M]. 北京：北京师范大学出版社，1999：541.

② 佐藤学. 课程与教师. 钟启泉，译 [M]. 北京：教育科学出版社，2003：230.

### 1. 研究目的上的"应用性"

教师研究的主要目的是为了解决教育教学中的实际问题，寻求解决问题的方法与改进性的措施，从而提高自身的专业素养，以最终提高教育教学质量，促进学生发展为目的。因此，教师研究的目的带有极其鲜明的应用指向和实践指向。

### 2. 研究成员上的"群众性"

毋庸置疑，教师是教师研究的主体。教师研究并不需要高深的理论和技巧，是所有教师都可以参与的，也是所有渴望发展的教师所参与的。因而，教师研究是一种"群众性"的研究活动。但是，教师研究的"群众性"特点并不意味着只有教师才能参与教师研究。实际上，教师研究的"群众性"特点还有另外一种含义，就是参与者的多元化。由于教师研究的场景和对象、教师自身的专业知识结构和研究方法的局限性，教师研究并不是教师独自的"悟道"过程，还必须与同事、与专业研究者，甚至与学生和家长合作，才能顺利地开展研究。

### 3. 研究内容上的"实践性"

中小学教师从事研究的目的不是为了发展教育理论，也不是要验证某个重要的研究假设，而是为了解决教育教学过程中所遇到的具体实践问题。一言以蔽之，教师研究就是"通过实践、为了实践、在实践中"。从根本上说，教师研究意味着教师对自己教学实践的一种考察和反思，它的最大的现实意义在于可以让教师理解实践中有着内在联系的多种要素的含义，从而使教育教学实践具有理性特征。教师从事教育教学实践工作，不应当是盲目的、主观的，而应当以研究的态度来对待，使教育教学实践与教师研究在同过程中密切结合。正是从这一意义上说，"实践性"是教师研究内容的主要特征。

4. 研究方法上的"简易性"

专业研究者的研究具有较强的目的性、计划性和有组织性，在开始研究之前一般要进行周密的研究规划和研究设计，并细致地选择研究方法和分析技术。而一线教师的教育教学研究则更多地表现出自发性、即时性和情境性的特征，因而，没有太多的目的指向和技术要求。恰恰是这种看似"粗糙"的研究保证了教师研究的真实性和可操作性。所以说，教师研究在方法上具有简易性特征。但是，简易性并不是不尊重方法的科学性和客观性。教师要想通过研究发现真问题，得出比较客观的结论，摸索出比较有效的解决问题的途径，就需要在研究方法上狠下工夫，使自己的研究尽可能摆脱主观经验的控制，走向科学化的道路。

5. 成果表达的"灵活性"

教师研究基于对教学实践的反思，是教师专业态度和专业行为的一种反映。由于学科背景、知识结构、年龄层次以及表达方式的差异，不同教师在研究的方式和方法上也大相径庭。且研究结果的呈现方式也不一而足。有的擅长通过论文来表达自己的研究成果，有的喜欢以教学日志的方式记录研究的轨迹，还有的喜欢在网络上撰写博客与大家分享研究经验和收获。因而，对于教师研究成果的表达方式，我们不能提出统一的要求，尤其是不能以一种方式来苛求教师。符合实际的做法，就是根据教师个人特点和喜好，倡导灵活多样的教师研究成果表达方式，这样才能使教师研究充满活力。

6. 评价方式的"发展性"

专业研究追求有形的、外在化的研究成果，比较关注研究成果的理论价值和应用价值。因而，人们评价某个专业研究是否有价值，往往根据其规范程度、研究观点被同行接纳或为决策者所采纳的程度来判定。由于教师研究更多地指向个体实践，以追求教师个体教学效能的提高为目的，因而，评价教师研究成果不能按照专业研究的标准来判断，更不能以专业研究人员的研究范式来排斥甚至否认教师的研究及其成果的价值。评价教师研究成果的价值应是以是否促进了教师个人的专业成长，以及是否促进了学校或学生的发展来衡量，其评价方式应是"发展性"的，而不应是结果性的，要充分体现出教师专业成长循序渐进的特点。

## 第三节　行动研究：教师研究的定位

教师的知识结构、生活场景、专业任务和研究目标的不同，决定了教师研究的独特性。教师研究既没有专业研究者那样的规范性和普遍性，又有别于教师日常生活中经验总结的随意性。从研究的取向来说，教师研究的应用性、实践性、群众性、简易性、灵活性和发展性都说明了教师研究更具有行动研究的特征。

本节，我们将具体介绍行动研究的内涵、特征和过程。

### 一、行动研究的内涵

"行动研究"是一个"舶来品"，最初始自美国的柯利尔。柯利尔在 1933 年至 1945 年担任美国印第安人事务局局长期间，为探讨改善印第安人与非印第安人之间关系的方案，让局外人士参与到研究过程中来，与他和他的同事合作，他称这种方式为"行动研究"。①

20 世纪 40 年代以后，美国社会心理学家勒温（K. Lewin）对行动研究进行了比较系统的阐述，指出了行动研究作为一种问题解决策略的目的、方法和步骤，其步骤至少包括以下三个部分：（1）分析问题、搜集事实；（2）制订行动方案，执行它们，然后搜集更多的事实并予

---

① 袁振国. 教育研究方法［M］. 北京：高等教育出版社，2000：210.

以评价；（3）整个过程螺旋前进、循环重复。在勒温看来，行动研究就是实践者以研究者的姿态，在研究中积极反思和改变自己的境遇，因而，反思、参与、民主、合作等都是行动研究的特征。

早期的行动研究主要应用于社会学领域，它对于社会活动具有极为独特的价值。由于教育活动与社会活动的密切联系，行动研究方法很快受到教育研究人士的关注。20 世纪 50 年代，美国哥伦比亚大学师范学院院长考瑞（Corry，S. M.）等人积极将行动研究方法引入教育领域，并于 1953 年出版了《改进学校实践的行动研究》一书，这本书系统地论述了教育中应该如何开展行动研究。"所有教育上的研究工作，经由应用研究成果的人来担任，其研究结果才不致白费。同时，只有教师、学生、辅导人员、行政人员及家长、支持者能不断检讨学校措施，学校才能适应现代生活之要求。故此等人员必须个别及集体采取积极态度，运用其创造思考，指出应该改变之措施，并勇敢地加以试验；且须讲求方法，有系统地搜集证据，以决定新措施之价值。这种方法就是行动研究法。"①

由于考瑞等人的努力，教育行动研究方法在美国得到了广泛应用。但是，到了 20 世纪 60 年代中期，因为教育研究方法中技术性因素的扩展和教育行动研究自身在观念和应用上的模糊性，人们动摇了先前对行动研究的笃信。70 年代以后，教育界在关于教育理论与教育实践的关系、研究者与教师的关系等方面进行了激烈的争论。在此次争论过程中，行动研究再次成为人们关注的焦点，而且扩大为一种国际性运动，澳大利亚、英国、德国、奥地利、西班牙、印度、尼泊尔、菲律宾、斯里兰卡、泰国、中国台湾地区等地都开展了各种形式的"行动研究"②。1975 年，英国课程论专家斯腾豪斯（L. Stenhouse）首次提出了"教师即研究者"的观点，不仅改变了以往人们对教师的传统观念，而且也为行动研究奠定了重要的理论基础。斯腾豪斯认为："教师是教室的负

---

① 郑金洲，等. 行动研究指导［M］. 北京：教育科学出版社，2004：10－11.
② 袁振国. 教育研究方法［M］. 北京：高等教育出版社，2000：211.

责人，而从实验主义者的角度来看，教室正好是检验教育理论的理想的实验室。对那些钟情于自然观察的研究者而言，教师是当之无愧的有效的实际观察者。无论从何种角度来理解教育研究，都不得不承认教师充满了丰富的研究机会"①。在他看来，"教育科学的理想是，每一个课堂都是实验室，每一名教师都是科学共同体的成员"②。后来，舍恩（D. Schon）进一步提出了"教师作为反思的实践者"的思想，这为行动研究的发展注入了新的血液。

　　然而，在整理行动研究发展历史的过程中，我们发现，学者们对于行动研究的界定争议颇多，并没有达成一致见解。比如，《国际教育百科全书》把行动研究定义为："由社会情景（教育情景）的参与者，为提高对所从事的社会或教育实践的理性认识，为加深对实践活动及其依赖的背景的理解，所进行的反思研究"③。行动研究的主要倡导者、英国的艾略特（Elliott, J.）认为："行动研究旨在提供社会具体情景中的行动质量，是对该社会情景的研究。"英国的另一位行动研究者朗特里（Rowntree, D.）认为："行动研究是对某种情境所进行的批判性研究，其目的不只是在于增加科学知识的储量（也许有应用于未来情境的意图），也要导致所研究情境的实际提高。"他把"行动研究"和"应用研究""开发研究"看成是一回事。澳大利亚学者卡尔（Carr, W.）和凯米斯（Kemmis, S.）将"行动研究"界定为"是由实践工作者在社会情境下展开的自我反思的探究，目的是提高他们自己的实践、他们对这些实践的理解、这些实践得以展开的背景的合理和公正。"④

　　尽管人们对"行动研究"的定义众说纷纭，莫衷一是，但仔细比较，仍然不难发现不同学者之间在理解上的共性，即强调行动研究的情境性、参与性，实践者的计划性、理性和批判性，以及对实践的改进作

①② 高慎英. 教师成为研究者："教师专业化"问题探讨 [J]. 教育理论与实践, 1998 (3).
③ 转引自张民选. 对"行动研究"的研究 [J]. 华东师范大学学报（教科版）, 1992 (1).
④ 郑金洲，等. 行动研究指导 [M]. 北京：教育科学出版社, 2004：11－12.

用等，只是不同学者论述的角度和侧重点不尽相同。美国学者迈克南（Mckernan，J.）在总结前人研究的基础上，对"行动研究"做出了一个比较概括性的定义："行动研究是在一个特定的困难情境中的反思过程，在这个情境中，人们试图提高实践或个人理解。实践工作者开展研究，首先明确地界定困难；其次，确定行动计划，包括提出假设、检验假设和面对困难所采取的行动，接着进行评价以监督和确立所采取的行动的有效性。最后，实践工作者反思、解释、改进自身行动，同时与其他行动研究者交流研究结果。行动研究是实践工作者开展的系统的自我反思的科学探究，其目的在于改进实践"①。应该说，这个定义比较接近今天我们对"行动研究"的理解。

那么，行动研究与其他研究方法有何区别呢？国外有学者提出了七条标准，即：（1）具有教育作用；（2）把个人作为社会群体的成员；（3）集中于问题，有独特的背景，并且是未来取向的；（4）包含引起变化的干预；（5）以改进和参与为目的；（6）包括一个循环的过程，其中研究、行动和评估是相互联系的；（7）建立在这样一种研究关系的基础上，其中有关人员都是变化过程的参与者。②

根据行动研究的定义及其与其他研究方法的区别，我们可以引申出对教师行动研究的理解。教师行动研究特指一线教师单独或者组成研究小组，为改进、提高自己的教育教学实践而进行的行动研究，它是一种公开、系统的反思活动。研究过程中，教师与专家的关系不再是知识生产者和知识消费者的关系，而是研究的共同参与者。教师或者教师小组是研究的主体，对研究问题的确定、研究进度的安排、研究方案的实施等事项具有决定权。尤其需要说明的是，行动研究不仅是一种研究方法，更是一种教师对待自己工作的态度，是教师不满足于已有经验，勇

① Mckernan J. Curriculum action research：a handbook of methods and resources for the reflective practitioner，1991：5.

② 克里斯蒂娜·休斯，马尔克姆·泰特．怎样做研究（第二版），戴建平，等，译[M]．北京：中国人民大学出版社，2005：78.

于超越经验且敢于否定权威和批判权威的意识，也是教师由单子式独立"运动"的工作方式迈向合作的工作方式的开始。

## 二、行动研究的基本特征

行动研究的主要特点首先表现在"行动"上，所以，有学者将行动研究简要地概括为"为行动而研究""对行动的研究"和"在行动中研究"。

所谓"为行动而研究"，是指行动研究的主要目的在于提高行动的效能，改进实践。独立的知识体系本身不是行动研究所刻意追求的，它只是研究、解决具体问题的工具和衍生物。如果说"为行动而研究"是"实践中心"的话，那么，"对行动的研究"则表明行动研究是一种"以问题为中心"的研究形式。但是，行动研究的问题与我们一般研究中所讲的问题是有所不同的。一般研究中的"问题"是相对固定、明晰，具有普遍性和代表性的，而行动研究所研究的"问题"是在特定的场景中不断生成的，是随着行动和研究的深入而不断深化的、充满个性化的"具体问题"。这一特点决定了教师在进行行动研究时，不需要僵硬地遵守某种严格的程序，也不需要有比较熟练和精致的研究方法，只需要有对教学实践问题的高度敏感性和适时调节研究方法的应变能力。"在行动中研究"，是指行动研究既不是在实验室里进行的，也不是在图书馆里发生的，而是在研究者具体的工作场景中展开的。从事行动研究的教师既是研究结果的产出者，也是研究成果的应用者，也就是说，行动研究的过程实际上是教师本身的一个"学习过程"。正如柯雷（M. S. Corey）在总结自己的行动研究经验之后所说的那样，"行动研究是学习的一种途径"。也正因为如此，行动研究作为教师专业成长的一种途径而越来越受到人们的关注。

从以上三个方面对"教师行动研究"进行概括还显得比较抽象，要真正理解"教师行动研究"的内涵还必须将它与一般的教学行动区别开来。事实上，从当前的教学实践来看，已确实存在把"行动研究"泛化的危险。由于对行动研究的过程和方法都不太清楚，教师往往会把一些简单的日常教学行动也看成是行动研究，其结果是教师的行动研究显得非常表面化和形式化，难以深入下去，也没有对改进教学产生应有的作用。

如果说行动研究与一般研究的区别在于"行动"，那么，它与一般教学行动的区别则是"研究"。作为研究的教学行动表现出明显的科学研究的一般程序和范式上的特征。

### （一）行动的自觉性

教师的一般教学行动可能更多的是属于任务性和经验性的。任务性的教学行动是一种外力作用的结果，不是教师自发的理性行动。而经验性的教学虽然受教师内在因素影响比较多，但这种行动是自发的，来自于教师的潜意识。如果这种经验恰巧与教师所处的问题情境相吻合，那么，这种经验性行动对于改善教学来说就会产生促进作用；反之，就会带来消极的负面影响。因而，经验性的教学行动不会考虑到教学场景的变化，以"不变"应"万变"，其结果有可能导致教师的固执己见，以至于故步自封而不能适应充满变化的课堂教学的需要。与之相反，行动研究是教师理性的、自觉的行动，这种自觉性我们以下面的案例来加以说明。

[案例]　　　　　　小班化课堂教学策略的研究

#### 一、问题的提出

随着我国人口政策的进一步落实，中小学入学高峰的退潮已成为事实，教育资源将比较宽裕。出生率的下降，社会物质生活水平的提高，使得人们对提高精神文化水平、对优质教育产生了强烈的需求，小班化教学正是人们对优质教育资源的需求和生源数量逐渐变少之间的一个最佳结合点。研究表明，教师的视野覆盖范围一般不超过25人，超过这个范围，教师的关注就会"顾此失彼"，超过人数越多，顾不到的学生就越多，结果导致精力有限的教师只能"抓两头带中间"，即比较多地关注学优生与学困生，其他学生只能"带过"。这正是群体教育貌似公平中最大的不公平，因为群体教育中成绩一般的大部分学生被忽略了，而"小班化教学"人数在30人之内，改变传统教育的模式，强调师生之间、生生之间、内容与方法之间等诸多方面的和谐互动，每个受教育者平均所能得到的教育和关爱时间也将随之扩大。

然而在教学实践过程中，由于教师们教育观念尚未转变，对小班化教学认识不够，虽然在班级的规模上实现了小班化，但教学实践中有关如何促进小班学生认知水平提高的策略并没有改变，缺乏小班化教学条件下教育的灵活性、变通性，这既导致了教育资源的浪费，教育教学效果也没有显著的提高。探索小班化教学实践，开展各科课堂教学研究，着重抓住对以书本知识为主，教师为中心以及传授灌输为主要特征的课堂教学策略进行根本性的改革。强调以学习者为中心，以学生自主活动为基础的新型教学过程，创造学生主动参与的机会。这也是本研究要解决的问题。

**二、研究意义**

研究此问题的意义在于：第一，通过研究能加大学生在课堂教学过程中的参与度，启迪学生的思维，激发教师工作的积极性，促进课堂教学效率的提高。第二，作为一个实践活动整体的师生交互作用着的动态过程的研究，具有推进小班化教育乃至推进课程改革的全局性的意义。第三，在研究的过程中，主要探讨具有以学生为中心、以学生主体活动为基础的体现综合性、可操作性、灵活性、创造性的原则和策略，能促使小班化教育朝着科学化方向发展，同时也是保障素质教育推进的积极举措。

**三、概念界定**

小班是一个班级学额概念，指的是针对以往的大班型教学的弊端缩小班级规模后较小的班型。

　　小班化教育是以促进青少年学生全面和个性均衡发展为目的，在缩减班级学生规模的基础上，按照其特有的内在价值和教育教学规律，通过对包括教学内容、教学方法、教学组织形式、教学实施过程、教学策略和教学模式等的改革而形成的一种班级教学活动形式。

　　教学策略是在教学目标确定以后，根据一定的教学任务和学生的特征，有针对性地选择与组合相关的教学内容、教学组织形式、教学方法和技术，形成的具有特定意义的教学方案。

　　**四、国内外相关研究情况概述**（略）

　　**五、研究方法**

　　本课题遵循行动研究的路径与方法，研究者本人将直接参与大小班的教学，在此过程中采用问卷和访谈的方法了解教师和学生对不同班额下教学策略的评价，并采用案例研究和比较分析的方法寻找当前小班教学中存在的问题，探讨适合学生需要的小班教学策略。

　　**六、研究计划**

2006 年 10 月—2006 年 11 月　　查阅、整理文献资料

2006 年 12 月—2007 年 2 月　　访谈与问卷调查

2007 年 2 月—2007 年 3 月　　与专家或同行合作，整理和分析资料，撰写研究报告

2007 年 4 月—2008 年 4 月　　提出工作改进计划与策略，实施工作改进计划，汇报工作的改进成果

（黑龙江省哈尔滨市解放小学　杨小弘校长撰写）


　　从这个案例中我们可以看到作为行动研究者的杨校长对于研究的自觉意识，这已经与日常教学行动有了很大的不同。


　　**1. 行动之前的周密计划**

　　小学阶段适龄人口的减少以及推进素质教育的要求，使班级规模日趋小型化，但杨校长发现班级规模的缩小并没有带来教学质量的提高。

那么，到底是什么因素影响了小班化教学效率的发挥？她决定根据自己学校的情况来进行细致的研究。因此，她设计了一个研究计划，从文献梳理、班级抽样、方法选择、时间安排、研究进度到最终研究成果都做了周密的布置。显然，这与一般教学行动的随意性有明显不同，它表现出行动研究明确的目的性和计划性。

### 2. 追求计划的合理性

行动研究不仅注重计划，而且这种计划不是超越了研究者可能的未来幻想，而是研究者在基于当前个人及实践条件下的一种合理构想。杨校长无意去做全国范围内的小班化教学研究，也不是要探究小班化教学模式在理论上的合理性，而是根据自己所掌握的理论和资料，以及时间上的可能性，从自身工作的学校内选择个案进行研究。这就使得研究计划更具有合理性，研究方案也更具有可操作性。

### 3. 主动寻求理论和实践经验的依据

行动研究作为一种研究范式，需要理论和实践的支持，研究者应以客观的态度和科学的方法来搜集证据，以阐述自己的研究假设和研究观点。就像杨校长一样，她不是主观地判断小班教学的优劣，而是通过访谈和问卷调查去分析师生对小班教学的基本观点，通过文献研究分析有关小班教学研究的欠缺，从而确定了将教学策略作为小班化教学研究的突破口，并根据实践选择了大小班进行对比研究，以找到二者在教学策略运用上的差异。

### 4. 行动过程中有意识地监控自己的行为

行动研究的计划性还表现在研究者在行动过程中的理智和清醒，他会不断有意识地监控自己的行为，观察自己的行为结果是否会产生明显的效应。当然，这种监控自己行为的方式可能是多种多样的，既有可能是研究者通过反思实现在理性上的自我监控，也有可能是聘请外部专家和同行进行交流与对话，以指导自己的行动。比如，杨校长在计划中就明确地提出了要与同行和专家合作，要把自己的行动研究及时拿出来"汇报"，听取他人的意见，以便及时校正自己的教学行为。

### （二）注重反思性实践循环

[案例]　　　　　　　**化学教师为何害怕上科学课**

课程改革把物理、化学、生物、自然、地理五门课程整合为一门综合课程——科学课，由各授课教师来共同上这门课。许多化学教师非常害怕上科学课，这是为什么呢?

#### 一个化学教师的自然状态

这一次，我们选择了一名从事化学教学十年的科学教师，看看他在自然状态下是怎样探究生命科学的。我们根据教学进度选择了一堂典型的生物课例《探究花的结构》，采取推门听课的方法，了解其真实的课堂情境，以便有的放矢地开展课例研究。

从课程观察来看，该教师的教学流程是：复习旧知——导入新课——通过桃花模型讲解花的结构——学生动手探究花的结构——指导学生对照书了解小麦花的结构。由此可见，本课的教学目标是：认识花的结构，学会独立解剖花。

尽管教师讲解详细，也采取了分组教学和实验探究，但学生反应冷淡，气氛沉闷，场面混乱。课后调查，我们发现学生满意度低，教学目标落实不到位。

为什么会出现这样的局面? 我们帮助这位教师反思：专业知识不牢固，没有自信心，时刻担心出错，因而课堂不敢放开；不善于从学生身边开发课程资源，局限于教材，教材上以桃花为例，但实际上本地桃花罕见，而且此时桃花早已凋谢，因而学生学而无味；讲解过多，学生缺少探究时间和探究机会，探究变成走形式；课堂容量小。

这些问题实际上也是科学课堂中存在的普遍问题。

## 改进中的问题发现

我们科学教研组由5人组成，其专业背景分别为：化学2人，生物2人，物理1人。

我们各抒己见、献计献策，商讨出的对策是：先丰富专业知识，找来人教版的《生物》和高师的《植物学》，弄清相关链接，做到"先知先觉"；接着开发乡土资源，学校所在沙坪乡遍布栀子花，结构与桃花相似，可取代桃花作为教学范例；联系生活实际，学生基本上是农家孩子，此时，各家菜园里有大量的丝瓜、黄瓜、南瓜花，可以进行探究。建议教师事先去菜地实地考察、学以致用。如一朵花的雄蕊被害虫吃掉了，那么，这朵花还能不能结果？为什么有的银杏树、桑树能结白果和桑椹，有的却年年都不能结果？除此而外，还需加强学生的合作学习，分组制作和汇报花的标本和结构等。在此基础上，这位教师重新进行教学设计。

通过几位教师的集体备课，我们又组织了第二次教学实践。此次教学，既出现了可喜的变化，又产生了新的问题。同学们的积极性得到了空前的提高，课堂上气氛十分活跃；学生参与性强，个个动手解剖花；花的种类繁多，同学们能带的花几乎都带来了；课堂上合作意识大大增强，满足了被尊重的需要和集体荣誉感。但突出的问题是课堂组织零乱，基础知识和基本技能落实不够，课堂不紧凑，完不成应有的教学任务。

我们再次组织了小组集体讨论，这位教师也进行了自我反思。其他教师提出了许多好的建议。如减少花的品种，选择三到五种有代表性的花即可；增加几道紧密联系生活实际的课堂练习题，如栀子花未开放时最外层的保护结构是什么，能结南瓜的花是什么花；教师应适当进行一些板书，使探究的主题线索更明了；小组探究花的结构时，教师要注意有效指导，并注意帮助弱势群体等。

### 适时地指导引发质的提升

通过自我反思、同伴互助设计的教学是否达到了比较高的层次呢？我们邀请了省教科院徐所长、特级教师、区教研室主任、教研员等专家来参与我们的第三次实践。

这次实践在时间把握、课堂容量、教学理念上都比前两次有了较大的提高。专家们对一名化学教师能上出这样高质量的生命科学课，给予了充分的肯定，一致认为是比较成功的。"学生情绪、活动面、深度都比刚开始课改时有了很大的进步，符合科学课的特点，在做科学中学科学。""按传统的讲授法，顶多五分钟就够了。学生自己像科学家一样去实验发现，整个过程都在做；密切注意到师生互动，注重了学生生活、农业实际。""如有些树结果，有些树不结果，非常实际有用。"当然，专家们也提出了一些修改建议。第一，在关于"子房被破坏后能否结果"的讨论中，学生发言虽非常积极，但有对有错，教师应引导得当，要去抓学生在探究中的思维闪光点，提高驾驭课堂的能力；第二，有了正确的答案，就不应该要同学们"课后去查资料"；第三，科学方法的教学仍需加强，"虽注意了但还不够"，如使用仪器，大多数的学生方法不妥，用什么方法，从哪里入手，应进行引导；第四，花的雌蕊只有一个，但当学生看到南瓜的花却是一个雌蕊三个柱头时，可引导学生"进一步观察，有几个雌蕊？"第五，科学课普遍存在的问题，即教学容量，"学生讲得差不多了，就可以不讲了，不要没有深度地讲下去"，这样，才可以有效地利用教学时间。

在专业引领下，我们再次进行了反思，修改教学设计，组织了第四次实践，感到教师进步非常大，基本上解决了上述问题，可以说这位化学教师通过这四次实践，在生命科学类课的教学上有了质的提升。

### 成就他人也是提高自己

开展以校为本的课例协助研究，我们发现这是培养科学教师迅速成长的途径。我们觉得这种基于问题的专题形式的课例研究，可以使不同专业背景的科学教师能较快地胜任科学教学，毕竟，科学师资力量的壮大除了依靠自身学习、专业引领外，更主要的是校内教师资源的相互利用，就如四个人吃水果，每人吃一种，但如果把一种水果分成四份，每人就可以吃到四种不同味道的水果了。同行不能是冤家，同事们积累了许多实践经验和丰富的教学素材。因此，我们提倡科学教师之间的主动合作，创建学习共同体。我们既要重视集体合作备课，更要勤学好问，各学科背景教师应充分合作互补，互惠互利，做到能者为师，共同提高。①

### 1. 关注问题解决过程

与一般的研究只关注问题和结果不同，行动研究的一个重要特征是对问题解决过程的关注。在上面案例中，教师们主要想了解科学教师应怎样引导学生"探究花的结构"。为此，他们进入课堂观察科学教师的整个教学流程，以发现该教师对教学目标的设定、把握，使用的方法和手段，学生的反应以及教学目标的达成等，充分体现了行动研究关注问题解决过程这一特点。

### 2. 对问题解决过程的反思

"尽管教师讲解详细，也采取了分组教学和实验探究，但学生反应冷淡，气氛沉闷，场面混乱。课后调查，学生满意度低，教学目标落实不到位。为什么会出现这样的局面？我们帮助实验教师反思：专业知识不牢，没有自信心……课堂容量小。"教师在课堂教学"花的结构"时采取了分组和探究的方法，但并没有收到预想的效果，由此引发了教师对自己教学技能和教学策略的思考。

教学场景充满了变化，因而，教师行动研究不仅要关注教学过程中

---

① 王景. 化学教师为何害怕上科学课［M］//罗炜. 教育叙事研究. 北京：首都师范大学出版社，2005：16-18.

不断发生的问题，而且要关注教师自身对问题的反思、采取的解决措施及其效果。

3. 在行动过程和结果中注意发现新问题，开始新一轮行动、观察、反思

教师行动研究的过程是开放的，是一个没有终点的螺旋式循环上升的过程。教师在对自身教学过程和结果的检讨中应不断发现新的问题，并开始新一轮的行动、观察、反思。在上面的案例中，教师通过与同事的合作，采用分组合作探究和就地取材的方式解决了先前科学课教学中课堂气氛沉闷与学生参与积极性不高的问题。但是，解决过程中又出现了一些新的没有预料到的问题，比如课堂组织零乱，基础知识和基本技能落实不够，课堂不紧凑，完不成应有的教学任务等。教师对此再次进行反思，并积极采纳同事建议，对课堂内容进行删减，调整教学策略，使课堂不仅充满了活力而且有条不紊，最终有效地完成了教学任务。

### （三）注重客观证据

研究与一般生活活动相区别的一个主要特征就是研究所表现出的理性。也就是说，研究活动主要不是依赖于个人的主观感受和主观判断，而是注重收集材料和数据，以客观证据来说明某一观点或现象。比如，当你要说明某个学生学习积极性不高这一论断时，你就不能仅仅凭这个学生有一两次作业未交或听课不认真进行主观判断，而是要首先搞清楚用什么指标来衡量学生的学习积极性，此后依托于这些指标进一步发现，这个学生在哪些方面表现欠佳，找到这些方面的客观证据后再做出理性判断。这就是以研究的态度来分析问题和解决问题，而不是仅凭直观感受或主观臆断。

### （四）合作的公开性

行动研究并不意味着教师一个人的"单打独斗"和"孤军奋战"，也不是关起门来处心积虑地写什么传世之作，而是在教学实践中与同事

齐心协力一起行动和研究。教师要想通过行动研究来解决课堂问题，促进自身专业水平的提高，仅仅依靠个人反思是不够的，还需要集思广益，以开放的胸怀和坦诚的态度来邀请同事或校外教学专家的参与，在交流和合作中共同探讨和解决教学过程中的问题。因此，教师需要主动公开自己的研究设计、研究方法、研究过程和研究结果，要不断接受来自外部的质疑和批判。正如斯腾豪斯（L. Stenhouse）所言，"如果教师希望改进他的教学，可以录制教学过程，或者邀请同事进入课堂作为观察者，如果可能的话，还可以邀请一位校外观察者来考察学生的理解力作为合作研究的基础。"在上面科学课教学的案例中，化学教师先是组织小组讨论，让同事们对自己的课堂设计提问题，讨论的结果是课堂内容减少了，与当地的生活实际结合得更紧密了，课堂任务更加明确，教师课堂关注的视野也更加开阔了。为了进一步确认课堂设计的科学性，该教师再次邀请省教科院所长、特级教师、区教研室主任、教研员等专家参与讨论和指导，专家们又对他在课堂时间把握、课堂容量、教学理念上提出了一些新的建议，再一次提高了科学课的教学质量，也由此进一步提升了教师个人的专业能力。

### （五）成长性

知识生成的逻辑性、人的身心发展的规律性，决定了教学过程是一个与知识生成和人的身心发展内在吻合的科学过程。任何一个细小和微妙的变化都会改变教学发生的路径，从而产生意想不到的结果。因此，教学过程不仅需要教学实践者有精湛纯熟的教学技能，而且还需要有高超的教学智慧，去时刻发现和把握课堂领域的细微变化。而这些教学技能和教学智慧都是需要教师在行动研究的过程中不断通过对自身教学的反思，以及在与他人的合作中得以成长和成熟的。教师的这种成长性也正是行动研究追求的目的之一。

总之，行动研究既是一种方法也是一种思想，而且是贴近教学的一种方法，它不断为教师提供理性而科学的决策，有助于提高教学的有效性。

### 三、行动研究的基本过程

自从行动研究的概念提出以来，行动研究很快成为教师开展教学研究、提高教师专业能力的主要手段。但关于行动研究具体如何开展目前并没有一个统一的定论，很多研究者基于不同的理论假设和问题取向，提出了很多种不同的研究模式。比如，勒温提出，"行动研究的起点应该是对问题的'勘察'——界定与分析；行动研究应该包括对计划及其实施情况的评价，并在这种评价的基础上加以改进；从总体上看，行动研究的进程是一个螺旋循环的过程"①。后来，凯米斯进一步拓展了勒温的行动研究程序，认为行动研究的核心就在于"由计划、行动、观察与反思等环节构成的、螺旋式推进的循环过程。"②

英国教育学者艾略特也是行动研究的主要倡导者。他认为，许多研究者不知道如何开展行动研究，是因为他们往往不清楚从哪里开始研究，或者说是无法划定研究的范围，因此，确定"行动场"非常重要。确定了"行动场"以后，行动研究者需要对"行动场"的状况进行诊断，厘清其中的问题，确定研究对象。然后，研究者才可以制订研究计划，开始"行动"。由于真实的"行动场"是不断变化的，因此研究行动要因地制宜，研究方法和手段要非常灵活，要随着研究场景的变化及时进行调整；同时，研究者每一次行动实施后，都应该对行动的结果进行观察、反思和评价，从而为制订新的研究计划做好准备。为此，艾略特为行动研究者构建了一个包括六个步骤的研究程序。③

第一步，诊断或发现问题。行动研究中坚持用批判的态度对待"行动场"中每一个看似平常的问题，并进行深入探究分析，了解社会情景状况，发掘问题。

---

① 袁振国. 教育研究方法［M］. 北京：高等教育出版社，2000：214.
② 郑金洲，等. 行动研究指导［M］. 北京：教育科学出版社，2005：34.
③ 郑金洲，等. 行动研究指导［M］. 北京：教育科学出版社，2005：39.

第二步，小组研究分析。通过小组合作的方式对发现的问题进行初步讨论，讨论结果可以作为制订总体行动计划的参照。

第三步，拟定整体计划。这是对研究的宏观把握，即研究者根据研究的目标和研究的问题，以及自身的资源条件等因素设计整体研究蓝图，并对研究中可能会遇到的制约因素有充分的准备，以便及时修改和调整计划。

第四步，设定具体方案。将整体计划分解成若干部分，每一部分可能会遇到哪些问题，对每一问题设定什么样的干预策略，具体方法有哪些。

第五步，采取行动。这是整个行动研究的核心，也是行动研究成败的关键。它包括了三个方面的基本内容：一是对实际情境的干预，二是对干预行动的评价，三是将每一步行动与研究的整体计划结合起来，以对最初的宏观设计进行监察与控制，并根据研究需要修改研究计划。

第六步，评价与改进。这是行动研究的总结阶段。一是总体评价，即评价研究行动是否达成了既定的研究目标。二是对研究过程中的每一步骤进行评价，即反思研究者在目标设定、问题发掘、策略和方法选择中是否还存在问题，以及导致这些问题出现的原因是什么，下一步应该如何做。

我国学者陈桂生也提出了一种对于教师来说简便易行的行动研究模式，它包括五个基本环节，即课题选择、课题设计、研究计划的实施、研究报告的撰写和回顾与总结（如图5）。

课题选择 → 课题设计 → 实施研究计划 → 撰写研究报告 → 回顾总结

**图5　行动研究模式**

当然，行动研究模式还不止这些。不过，不同模式之间也存在一些共性。比如，面向现实场景，发现问题、提出假设或预设研究框架、实施行动、检验行动等差不多是所有模式中都涉及的基本环节或步骤，只不过在表述上和具体安排上有些变化而已。行动研究过程的这些要素又与杜威的思维五阶段——"情境、问题、假设、推理、检验"有异曲同工之妙，正如一些研究者认为的那样，行动研究在某种程度上可以说是杜威理论的延续或者说是具体化。只不过行动研究不是杜威所说的逻辑推理，而是更加注重收集证据，并且更加强调合作，强调同行或其他"局外人"对于问题解决的意义。最重要的是，行动研究不仅是一种具体的研究方法，更是教师的一种专业生存方式。

下面我们以一个具体的案例来阐述行动研究的基本步骤。

[**案例**] **小学阶段写字分层教学的行动研究**①

**一、问题的提出**

（一）实际工作中的问题与困惑

在低年级段语文教学中，我们发现大部分学生的作业本中字写得不端正，还有的作业本被学生用橡皮擦得又黑又脏。学生写字时，心总是静不下来，总是匆匆忙忙写完作业就交。大部分同学的书写态度很差，握笔方法也不正确，影响了书写质量。

（二）问题的聚焦与定位

关于小学低年级段写字分层教学的行动研究。

（三）解决问题的意义

《语文课程标准》对低年级学生的写字作了明确的规定：要初步感知汉字的形体美。养成正确的写字姿势和良好的写字习惯，书写规范、端正、整洁。写字是小学语文教学中的基础内容。通过长期的写字训练，能使学生受到美的感染，培养他们一丝不苟、爱好整洁等良好习惯，有助于提高他们的道德文化素养和审美情趣。

---

① 胡小曼，等．小学阶段写字分层教学的行动研究［M］//汪利兵，等．教育行动研究：意义、制度与方法．杭州：浙江大学出版社，2003：280－291．

## 二、问题的归因

### (一) 问题在班级中的严重程度

对学生进行问卷调查，结果如下：

1. 对"你写字时，有没有按照老师教的正确方法执笔？"一问，学生的不同回答所占比例分别是：

| | |
|---|---|
| 有。 | 34% |
| 有时有，有时没有。 | 53% |
| 没有。 | 13% |

2. 对"你写字时，有没有认真观察字的间架结构和书写位置？"一问，学生的不同回答所占比例分别是：

| | |
|---|---|
| 有。 | 31% |
| 有时有，有时没有。 | 55% |
| 没有。 | 14% |

3. 对"写完作业时，你有没有进行检查和修改？"一问，学生的不同回答所占比例分别是：

| | |
|---|---|
| 有 | 45% |
| 有时有，有时没有。 | 40% |
| 没有。 | 15% |

4. 对"你在家写作业与在学校一样认真吗？"一问，学生的不同回答所占比例分别是：

| | |
|---|---|
| 一样认真。 | 41% |
| 在校比在家认真。 | 42% |
| 在家比在校认真。 | 17% |

5. 对"你对目前的书写水平满意吗？还想进一步提高吗？"一问，学生的不同回答所占比例分别是：

| | |
|---|---|
| 满意，还想提高。 | 69% |
| 满意，不想提高。 | 4% |
| 不满意，想提高。 | 27% |

6. 对"你喜欢写字吗?"一问，学生的不同回答所占比例分别是：

| | |
|---|---|
| 喜欢。 | 85% |
| 不喜欢，也不讨厌。 | 12% |
| 不喜欢。 | 3% |

由问卷调查可见，大部分学生喜欢写字，想提高自己的书写水平，但毕竟年龄尚小，无法长期坚持。大部分学生还没有掌握正确的书写姿势和方法。

（二）产生问题的原因

1. 书本理论

（1）年龄特征。由于小学低年级段学生年龄较小，集中注意的时间较短，不善于分配自己的注意力，这一现象在写字中表现尤为突出，难以做到有始有终。

（2）生理特征。6~7岁儿童由于手指骨骼尚未发育好，导致执笔不正确，坐姿不端正，从而影响书写质量。

（3）兴趣因素。对于低年级的学生来说，不可能一开始就对写字产生兴趣，还需要培养。

（4）技能因素。技能是在完成某种任务的活动过程中通过学习和练习而形成的。写字是一项动作技能。所谓动作技能，是指主要表现在外部的，比较合理的组织起来并能顺利进行的一系列动作的方式。动作技能的形成可以划分为三个有区别又有联系的阶段：一是掌握局部动作的阶段，这时常有多余的动作并显得紧张，而且要靠视觉协助控制，速度慢；二是初步掌握完整动作的阶段，这时局部动作联合成一个体系，多余动作逐渐减少或消失，动觉控制增强，速度加快；三是动作协调和完善的阶段，这时能够迅速地、精确地、不需要有更多意识参加而做出一套连续的动作。而写字技能的掌握，需要反复的练习。孩子由于缺少反复练习，故没有很好地掌握写字技能。

（5）由于社会与家庭有关人员的误导，在部分孩子头脑中里存在这样的想法：将来有电脑打字，练不练字无所谓，因而忽视了书写的重要性。

2. 同行意见

以上几点都有可能，但还与孩子的天赋与家庭教育有关。

3. 最后的归因

(1) 学生书写姿势错误，导致书写不端正。

(2) 学生书写兴趣不高。

(3) 学生年龄尚小，无法持久书写，意志力和耐力都不够。

### 三、采取的措施

(一) 指导学生掌握正确的书写姿势

1. 向学生讲解正确的写字姿势要领。要求学生写字时做到眼离纸张一尺，身离桌子一拳，手离笔尖一寸。

2. 书写时，常念写字儿歌提醒，养成正确的姿势。

3. 书写时，教师时常提醒学生书写的姿势。

(二) 激发学生写字兴趣

1. 采用"画字法"。如在教学象形字"井、马、鸟"时，把这些字与画连在一起，学生通过看图比较认识了字。教师启发学生写字就跟画画一样，要"画"好每一个字。

2. 重视写字指导，教给学生书写的规律。可以先找找字的关键笔画，说说字的基本规律，如上宽下窄、上小下大、左窄右宽等。

3. 带学生去参观少儿书法展览，让学生们受到美的熏陶，激发他们对书法的热爱。

4. 在校内举行书法作品展览，请家长来参观，让每位家长了解学生的书写情况，并与学生们一起分享进步的喜悦。

5. 在班队课上，让学生讲讲有关书法家的故事，如王羲之、王献之等。

(三) 采取书写的分层教学方法

这种教学方法的目的是培养学生的书写耐力，持之以恒地练习，养成书写的好习惯，并让每一位学生的书写水平在原有的基础上都得到提高。

1. 在班级中开展写字竞赛。比赛规则是把全班同学分成五组，每组 8~9 人，每组成员的书写水平大致相同。让学生自己给小组取名字，如：火箭组、飞机组、战舰组等。比赛后，每组前两名为优胜者并贴于"写字小擂台"，作为鼓励。

2. 教师运用分层评价方法，以鼓励为主，对不同书写水平的学生，给予不同的评价。在批改作业时，对于书写水平 A 等的学生，要求他们精益求精。书写水平 B 等的学生人数最多，要求就稍微宽一些，对端正的字用红笔圈起来，表示赞赏；而不端正的字，就划出来，并在一旁写上端正的字作为示范，并要求学生再写几次。对于书写水平 C 等的学生，可能一次作业也难以找出几个端正的字来，但只要发现稍有进步的字，就用红笔圈上，并大加赞赏。这种评价方法的目的是让每一位学生都感受到自己的进步。

3. 对于书写水平 A 等的学生，应逐步提出更高的要求：作业中每个字大小匀称，字中的笔画要有笔锋，并从中树立榜样，让写字进步快的学生谈自己的进步过程，以带动其他学生。教师帮助搜集高年级学生的优秀写字作业，供学生欣赏、模仿。

4. 对于书写水平为 B、C 等的学生，进行定期的个别辅导，并在班级中开展"一帮一"结对活动。让书写水平 A 等、有能力帮助别人的学生，去帮助书写水平是 B 或 C 等的学生，共同学习，共同进步。

**四、评估与反思**

（一）取得的效果

1. 通过写字分层教学的行动研究，学生的书写兴趣得到了极大的提高。大部分学生书写态度认真，能比较有耐心地书写。

2. 通过收集年级段 124 名学生作业，分出 A、B、C 三等的人数（参见表 4），与初始值进行比较，发现学生的书写水平得到大面积提高，尤其是对书写水平中、低等的学生，促进作用特别明显。

表 4　学生书法作业等级表

| 等　　级 | 初始值 | | 现在值 | | 比　　较 |
|---|---|---|---|---|---|
| | 人数 | 百分比 | 人数 | 百分比 | |
| A. 端正，整洁 | 25 | 20% | 45 | 36% | 提高 16 个百分点 |
| B. 不端正，整洁 | 66 | 53% | 70 | 56% | 增加 3 个百分点 |
| C. 不端正，不整洁 | 33 | 27% | 9 | 7% | 减少 20 个百分点 |

（二）存在的问题

1. 个别学生错误的写字姿势已形成习惯，很难纠正。

2. 有个别学生性子特别急，往往还没有观察好笔画所在的位置，就匆匆下笔，因此，书写水平进步慢。

从上面的案例中，我们可以看出行动研究发生的基本程序，大致包括问题的提出、问题的归因、措施与行动、评估与反思四个循环往复的阶段（如图6）。

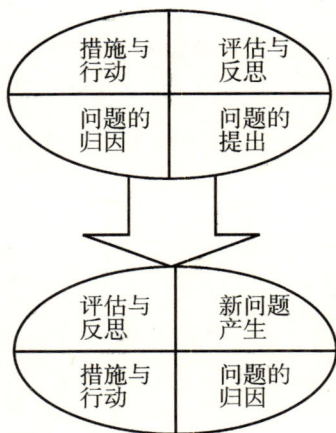

图 6　行动研究的过程

**思考题**

1. 如何正确理解教师研究？

2. 行动研究简单地说就是"为行动的研究""对行动的研究"和"在行动中研究"，谈谈你对这三句话的理解。

**3**

# 我们研究什么

发现一个问题往往比解决一个问题更重要。

——爱因斯坦

## 第一节　研究始于问题

### 一、问题之于研究的重要性

我们先从两个故事开始。

众所周知，今天举世闻名的诺贝尔奖金是以一位叫"诺贝尔"的人的名字来命名的。诺贝尔出生于瑞典一个贫穷的家庭，很小的时候就随父亲过着漂泊的生活，没有机会接受正规的学校教育，只在学校读过一年书，受过几年家庭教育。16 岁时，父亲送他到美国一家工厂当学徒。在那里，诺贝尔目睹了劳工工作的艰辛。他们开山凿矿、修筑公路和铁路时，都是用手工进行的，体力劳动强度大、效率也非常低。他想，要是有一种威力很大的东西，能一下子劈开山岭，就能减轻工人们繁重的体力劳动了。于是，他开始研究炸药。几年后，诺贝尔发明了爆炸力很强的"诺贝尔爆发油"。但是，由于这种"爆发油"具有极强的易爆性，在一次实验中，实验室和工厂全部被炸毁，诺贝尔的弟弟当场被炸死，父亲也被炸成重伤。在沉重的打击下，诺贝尔并未灰心丧气，决心制服"爆发油"的易爆性。在此后的四五年时间里，如何解决"诺贝尔爆发油"的易爆性问题成为他进一步研究的动力和目标。为了避免伤及无辜，他租用了一只大船到梅拉伦湖的一个岛上去做试验。经过四年间几百次艰苦而危险的试验，诺贝尔终于成功地研制了硅藻甘油炸药，解决了"爆发油"的易爆性问题。但是，随之而来的问题是，硅藻甘油炸药爆炸产生的烟雾太大，对施工极其不便。于是，他又开始了漫长而艰难的探索，解决爆炸产生的烟雾问题。终于，13年后，即1880年，诺贝尔成功发明了无烟炸药——三硝基甲苯（又名TNT），对矿产开采、交通运输以及其他工业领域作出了巨大的贡献。

另一个故事是关于青霉素的发现。在很多的关于科技发展史和医学发展史，甚至在一些大众流行的科学家的故事中，讲到青霉素的发现时都把它看成是一个偶然的事件。实际上，青霉素的发现绝非偶然，它与发现者的问题意识以及由此而产生的复杂和缜密的研究是分不开的。

在青霉素发现之前，人们总是被各种病菌所困扰，一个小小的伤口不慎感染都会造成死亡，而导致伤口感染的罪魁祸首是一种葡萄球状的细菌。那么，用什么药物来杀死这种葡萄状球菌，成为当时解决伤口化脓问题的重点，许多生物学家和医学家都投入到此项研究中。英国伦敦圣玛丽医院的细菌学家弗莱明就是其中的一个。1928年9月的一天早晨，他在实验室里检查一排排分别贴着各种细菌标签的玻璃培养器皿时，发现其中一只靠近窗户的、贴有葡萄状球菌标签的培养器里发生了不同寻常的变化——培养器里所盛放的培养基发了霉，长出了一团青色的霉花，在青色霉菌的周围，有一小圈空白的区域。原来生长的葡萄状球菌消失了！难道是这种青霉菌的分泌物把葡萄状球菌杀灭了吗？弗莱明兴奋地把它放到了显微镜下进行仔细观察。结果发现，青霉菌附近的葡萄状球菌已经全部死去，只留下一点枯影。他立即决定，把青霉菌放进培养基中进行培养。后来，经过很多次实验证实了青霉菌确实具有杀死葡萄球菌的功能。但弗莱明并没有到此为止，这种青霉菌对其他病菌有没有作用呢？紧接着，他继续用其他病菌进行实验研究，发现青霉菌还可以杀死白喉菌、肺炎菌、链状球菌、炭疽菌等多种病菌。但是，青霉菌是否可以用到人体而不至于产生危害是他要突破的又一个重要问题。于是，弗莱明开始在动物身上小心地注射了青霉菌液体，发现被注射的动物没有产生任何异常反应，这证明了青霉菌液体对动物体的无毒性。1929 年，他发表论文把这种青霉菌分泌的杀菌物质称为青霉素。青霉素的发现是人类医学发展史上的巨大进步，它挽救了无数人的生命，对人类作出了巨大贡献。

在科学发展史上，这样的故事不胜枚举。这些故事都说明了一个基本事实：任何研究活动都是围绕问题进行的，问题是研究的源起，也是推动研究深入开展的动力。没有问题就没有研究，没有研究就没有发明和发现，就不可能有科学的进步和发展，也不可能有物质丰富、科技发达的现代文明的产生。

不仅科学研究如此，教师的研究活动也同样如此，只不过问题的大小和性质不同而已。对于教师来说，问题同样是教师行动研究的起点。当然，教师不是要研究如上面故事中所提到的那些关系到科技进步、人类发展的重大问题，即便是在教育领域内，也有一些问题是不需要教师研究或者是普通教师无力研究的。比如，有关教育发展的一般规律问题、关于国家或区域教育发展的宏观战略问题，以及涉及教育发展的一些基本理论问题，等等。这些问题与教师的知识背景和工作性质有一定的距离，不仅需要复杂的理论、方法和技术的支撑，还需要耗费大量的人力、物力和财力，不是一般教师所能胜任的。

教师的工作范围和性质，特别是教师研究的目的，决定了教师研究的问题主要是与教师个人教学实践密切相关的教育教学问题。教师只有明确了要研究的问题，才能真正开始研究活动，也才能避免研究中的形式主义，使研究活动在真实问题的牵引下一步一步地走向深入。当前，很多地方或很多学校在教师中广泛开展科研活动，甚至有些地方的教育主管部门不惜人力和财力大力投资教师科研。虽然这些做法在教育发展的方向上是正确的，但由于普遍缺乏研究中的问题意识，结果使一些研究活动变成走过场、应付任务或检查的"群众性活动"。这种没有问题意识的教师科研看似热热闹闹，实则缺乏应有的内容和价值，不但没有起到以科研促进教师发展、学校发展和学生发展的目的，反而一定程度上破坏了学校正常的教育教学秩序，浪费了大量的教育资源。

要想真正使教师科研落到实处，首先需要明确问题对于教师研究的重要性，以及如何找到要研究的问题，这往往是教师开始行动研究的第一步。否则，再多的研究模式、再好的研究方法都将变得毫无意义，如同医生有最好的仪器和最好的药物但却不知道病在哪里一样。

## 二、我们为何没有问题

找不到要研究的问题是当前困扰中小学教师开展研究活动的一个突出问题。为什么会产生这种现象？其主要原因在于以下三个方面。

### （一）缺乏问题意识

有这样一个笑话，一个研究者测试了来自不同地区或不同国家的孩子的知识水平，结果发现非洲的孩子不能解释什么是"粮食"，美国的孩子不知道什么是"其他国家"，而中国的孩子不知道什么是"问题"。这个看似有点荒唐的笑话却真实地反映了中国的学校教育所存在的弊病。长期以来，我们的学校教育围绕书本教学，强调标准答案，强调死记硬背书本内容，不重视学生的个性和兴趣，不善于激发学生的好奇心。这样培养出来的学生缺乏独立思考的习惯和独立解决问题的能力，遇到问题时，如果从书本上找不到现成的答案，就会变得无所适从，一筹莫展。这与围绕问题教学的西方国家在教育方式上有很大的不同。

　　不仅学校教育如此，家庭教育也是一样。众所周知，中国的学生，从海南岛到哈尔滨，从东部发达地区到西部偏远山村，从重点学校到普通学校，学生回到家里，多数家长所说的第一句话都是"你今天作业完成了没有？"而在美国，很多家长问孩子的第一句话却是"你今天在学校问了老师多少问题？"这两种截然不同的家庭教育方式造就了两类学生不同的学习方式。所以，在国际奥林匹克数学、物理和化学竞赛的领奖台上，能经常看到中国学生的身影；而在那些需要动手能力的实践操作的比赛中，却很少见到中国学生的身影。理由很简单，这些比赛不是按照固定的套路来解决问题，而是需要学生在复杂多变的现实场景中，随时发现问题、解决问题，完全没有预先的设定和规定的套路，一切依靠学生自己所具备的灵活性和创新性。而这种发现问题和解决问题的能力恰恰是知识学习的一个重要目的。因为任何知识最终都是要服务于实践的，都是要解决现实世界中各种各样的问题的。

　　如果我们细心观察一下我国从幼儿园到大学的课堂，你会发现一个很有意思的现象：学生举手问问题的频率越来越少了。在幼儿园的课堂上，你还可以看到小手如林，充满好奇和表现欲的满脸稚气的孩童争先恐后向老师提问。在小学低年级的课堂上，这种问问题的气氛大致还能保持，可是到五六年级的时候，这些小手大概就要放下一半了。到了初中，又会放下一半。到了高中阶段，能够在课堂上举手的恐怕也就是那一两个人了。而在大学的课堂上举手问问题的现象几乎十分罕见，倘若有一两个敢于"吃螃蟹"的斗胆举手发问，也只会博得同学们惊异而略带嘲讽的目光。由此可见，我们的课堂教学不仅没有问题，更重要的是在进行"去问题"的教育。多少年来都是如此，即使在新课程实施以后，这种"去问题"的教育也没有得到根本扭转，其结果是培养了一大批没有问题意识的国民。正如前面所述，没有问题，就没有科学研究，就不可能有科学发现。所以，我们有着13亿人口的中国至今都没能在标志当今世界最高科学成就和最高荣誉的诺贝尔奖项上实现"零"的突破。

实际上，诺贝尔奖所解决的许多问题并不是那么高深莫测，也并不都是在解决世界科技的前沿问题，很多研究就是从我们日常生活中司空见惯的问题开始的。举一个例子，凡是到过商场购物的人，应该说对商品标价问题最熟悉不过了，你会发现很多商品在标价上都是以"9"出现的，比如9.9元，49.9元，99.9元等，就是说商品标价总是尽量靠近末尾数字的上限，而又不突破上限。难道商品的真实价格就是如此吗？如果改成10元、50元、100元，商场不是省略了很多找零的麻烦吗？可是，商场为什么会仍然乐此不疲呢？这种现象在世界五大洲的各个国家大致如此。中国的13亿人都对这种现象视而不"研"，从来没有人认真思考商场为什么要这样做？而这一现象在美国却引起了经济学家的极大关注和浓厚兴趣，他们要研究这种标价对消费者起什么样的心理作用，以此来判断影响消费者判断的机理是什么，进而研究这种标价是如何刺激消费，促进经济增长的。结果，就是这样一个在一般人看来没有丝毫意义的问题所引发的研究获得了诺贝尔经济学奖。

这些生动的例子都说明，缺乏问题意识是制约我们开展研究的关键。教师没有问题意识，就会对课堂中很多现象视而不见。比如，我们经常会看到一些小学生写一个字经常要反复涂改很多次，有些学生总喜欢在课堂上打瞌睡，有些学生总是表现得很胆怯，也有些学生总是不爱与他人合作，等等。这些课堂现象几乎每个学校、每个班级每天都在发生，但却很少能引起教师足够的关注。我们很少思考这些司空见惯的现象为什么会发生。没有问题意识使许多教师虽然长年累月地站在讲台上，却不知道自己熟悉的课堂上究竟在发生着什么问题，也无法知道自己要干什么，更谈不上要去研究什么了。

复旦大学校训中有两句话"不学而不知，屈问而静思"。何谓学问？学问就是学习问问题。如果一个人懂得了怎样问问题，就等于掌握了一把通向知识宝库的钥匙，他自己就能够不断学习到新的知识。

### （二）迷失在个体经验中

说到经验，有这么一个寓言故事。从前，有一头驴子驮着一包盐渡河，在河边不小心滑了一跤跌进河里，顷刻之间那包盐被河水融化了。驴子站起来后，顿时感到身体轻松了许多，于是它异常惊喜，认为自己获得了轻松驮物过河的"经验"。后来有一次，这头驴子驮了一大捆棉花又要渡河，它以为再跌进河里可以同上次一样减轻重量，就在走到河边的时候，故意又滑了一跤跌进河里。可是，这一大捆棉花却吸收了很多的河水，重量增加了很多。驴子不但站不起来，而且身子一直往河底沉，最后不幸被淹死。驴子为什么会被淹死呢？原因很简单：因为驴子没有正确地对待"经验"，而是机械地套用了"经验"，没有对"经验"进行改造和创新。由此可见，经验是一把双刃剑，有时候，它可以帮助我们更加便捷地获得成功，有时候却会导致我们因循守旧，故步自封而招致失败。所以，在许多事情上我们之所以失败，其原因不外乎两种：一种是因为"经验"不足，而另一种则是因为"经验"过多。

在日常教学中，这样的例子不在少数，不少教师在长期的教育教学实践中积累了丰富的"经验"，这无疑是一笔非常宝贵的财富。个体经验是教师从事专业活动、不断提升专业素质和能力的基础，也是教育教学理论不断得以丰富的源泉。但是，一些教师并不懂得"经验"是一把双刃剑的道理，过度依赖经验，淹没在个体经验的洪流中，养成了因循守旧，不思进取的惰性，对教学过程中所产生的新问题，常常不假思索地照搬过去的做法，出现了一些教学失败的事例。

以前，我们经常用"一本教案、一支粉笔、十年讲台"来描述大多数教师专业生活的状态。今天，随着课程改革的实施，培养目标的变化、教材的更新、教学技术手段的多样化，虽然这样的现象已经不多见了，但因循守旧，"以不变应万变"的教师仍然不在少数。尤其是在那些从教十几年或几十年的教师中间，这样的现象更为普遍。他们往往认为自己通过多年的教学已经形成了一套有效的策略与方法，不再需要新的技能和方法了，容易形成自以为是，不思进取的教学态度。实际上，教学场景时刻都在变化，教学对象的不同、内容的不同、地点的不同、时间的不同都需要教师不断去研究新情况、新问题，从而调整自己的教学策略和方法，提高教学效能。

迷失在个体经验中的教师通常看不到教学过程中存在的各种问题，因而，也就不会有对自己教学过程的反思和研究，这也是"经验型教师"与"研究型教师"的区别所在。

### （三）对专家的盲从

长期以来，在一线教师中间存在着一种观念，即教师与教育研究者是两种不同身份、有着不同分工的专业工作者。教师的主要使命是完成教学任务，研究不是教师的分内之事，而应该由专业研究者来完成。教师只负责应用专业研究者所发现或发明的教育教学理论与方法，也就是说，教师是专业研究人员所发明的教育教学理论和方法的消费者。这种观念导致一些教师对专家的盲从，认为任何教育教学问题的解决都必须依靠专家来提供有效的知识和策略。其结果同样导致了教师自身对教学问题的忽视，没有养成研究自己课堂和教学过程的意识。

实际上，专家所提供的知识和方法更多的是从无数个案例中所抽象出来的一般性结论。而教师的教学活动是具体的，每个教师的课堂都是特殊的，一般性的结论不可能"放之四海而皆准"。教师必须自己去发现教学过程中所出现的问题，研究问题背后的原因，提出合适的解决办法，也唯有如此，教师的教学效能才能真正得以提高。

当然，这不是要否定专家对于一线教师的指导意义，关键是如何正确认识专家的角色、功能，如何理解专家与教师的关系，以及教师参与科研的意义。

### （四）理论知识贫乏

教师能否发现教学中的问题与教师自身的理论知识积累有很大的关系。我们甚至可以说，理论知识是教师发现问题的"眼睛"。很多问题之所以在一些教师眼中不成为问题，正是因为他们缺乏有关教育理论的知识，看不到司空见惯的现象背后存在着深刻的问题。比如，"学生在课堂上打瞌睡"在有些教师看来是非常正常的现象，是不需要研究的问题；而在另外一些教师看来却可能是非常值得关注的问题。"课堂上有的学生表现十分积极，而也有的学生从来不举手发言"，这在有些教师眼中可能也不成为问题；而在把教育看成是面向全体学生的教师眼中，可能就会问，"为什么他们从来不举手？"正如爱因斯坦所言："你能不能观察到眼前的现象取决于你运用什么样的理论，理论决定着你到底能观察到什么。"

### （五）缺乏发现问题的有效方法

合适的方法是找到研究问题的一个有效工具。教师不能发现研究问题的又一个重要原因是教师没有掌握一些发现问题和聚焦问题的方法。因为教学是在教师和学生这两个能动的主体之间所发生的十分复杂的活动，教学过程中的问题盘根错节、千头万绪。没有合适的工具和正确的方法，就很难找到真正的问题所在，也不可能清楚问题的来龙去脉。我们发现在日常教学实践中，虽然教师每天都在与学生打交道，却不知道学生究竟是如何学习的，也不知道每个学生的发展有什么问题。虽然每天都在备课上课，但却不知道自己教学效率不高的原因究竟是什么，等等。诸如此类的问题时刻都在困扰着那些竭力渴望改善教学的教师们。

那么，如何才能很快地找到自己教学过程中的问题？下面介绍两种简单的方法，一种是问题树（如图7所示），另外一种是头脑风暴法。

"问题树"的主要功能是帮助教师个人理清思路，聚焦问题，从许多相互关联的因素中，顺藤摸瓜，找到问题的源头，以便教师个人及时抓住矛盾、展开研究。以图7为例，教师发现自己的教学效果不佳，那么，其原因可能会有四个方面：学校、教师个人、学生和家长。假设，通过调查发现教师个人因素是导致教学效果不佳的主要原因。这个原因也有可能包括四个方面，即教学组织形式不当、教材熟练程度不够、教学方法不当和课堂控制不好，如果教师通过自我反思和调查访谈后排除了教学组织形式、教材熟悉程度和课堂控制问题，而最终把问题聚焦到

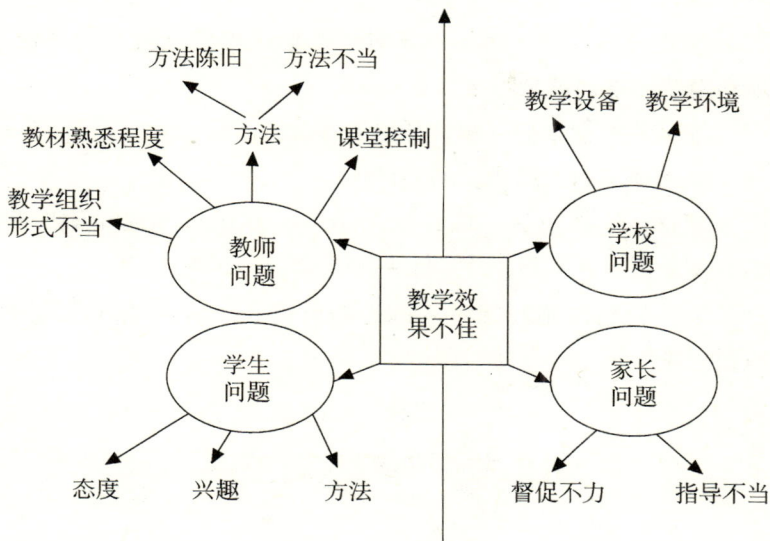

**图7    问题树：一种有利于找到研究问题的思维方法**

教师的教学方法上。这样一步一步地分析和清理，最终找到教师要研究的问题。也只有如此分析，教师发现的问题才可能是真问题，教师的研究才能真正发挥提高教学效能的作用。

试想一下，如果没有经过这样一个问题清晰化的过程，而是根据教师个人的主观推断，直接将教学效果不佳归根于学生，从而将研究的主要精力集中在学生身上，就难免会导致南辕北辙。结果既浪费了教师个人的精力，也难以达到改善教学效果的目的。

头脑风暴法是一种利用集体智慧发现问题的方法。很多时候，教师个人对于自身的问题会出现"当局者迷"的现象，作为研究者的教师往往不清楚自己教学中到底存在哪些问题。这时候，就需要组织同行参与到自己的教学过程中，帮助自己发现问题。头脑风暴法可以很好地帮助研究者集思广益，其具体操作过程如下。

（1）组织一个讨论小组，选择一位主持人和一位记录员（也可以是同一个人）；

（2）制定发言规则，包括发言时间、禁止对他人发言的评价、声明无所谓对错、准确记录答案等；

（3）明确将要探索的问题，开始集体自由讨论；

（4）公布所有讨论结果，不做评价；

（5）集体讨论结束后，检查记录结果，寻找重复或相似的答案，将相似的概念集中在一起，并剔除一些不合适的回答；

（6）若问题相对比较集中，讨论即可终止。若问题还没有明确，可以重复讨论。

# 第二节　问题从哪里来

有了问题意识，掌握了比较好的发现问题的方法。那么，到哪儿去找问题呢？由于教师的主要任务是教学，而教师研究又是一种面向教学实践、扎根教学实践、服务教学实践的行动研究。因此，教师的研究问题主要是从教师的专业实践中来，从教师身边的问题中来。教师研究的问题主要来源于以下几个方面。

## 一、从教育教学的疑难中寻找问题

[案例]　　　　　　　　**教室的长是多少？**

张老师是小学数学教师。他在教学长度单位及其相互关系时发现，让学生记住 1 米 = 10 分米，1 分米 = 10 厘米，1 厘米 = 10 毫米，这些数字比较容易，让学生进行单位之间的换算也不困难，比如学生通过几次练习很快就能回答出 1 米 = 100 厘米 = 1000 毫米了。为了进一步让学生熟练掌握这些长度单位并能够在大脑中形成每个长度单位的基本概念，张老师想把这些长度单位与生活中的事物结合起来，于是，他让学生估计教室的长、宽、高。结果，答案五花八门，令人啼笑皆非。甚至有的学生写出了教室长50米的答案。这大大出乎了张老师的意料，他没有想到，学生既然能够在这些长度单位之间熟练地进行换算，却无法在实际生活中正确地理解与应用1米、1分米、1厘米、1毫米。

新一轮课程改革要求数学知识和生活实际紧密结合起来，那么，教学中如何才能达到这样的目标呢？怎样才能让抽象的数学生活化？

案例中张老师所碰到的疑难问题在教学中无处不在，尤其是课程改革实施以来，新的教育价值观、知识观和学生观，以及由此带来的培养目标、教学内容、教学组织形式以及教学方法和手段的巨大变革，使中小学的课堂生活产生了翻天覆地的变化，并产生了越来越多的新问题。如何面对这些问题，寻找合适的解决办法需要每位教师认真探讨和研究。

## 二、从具体的教学场景中捕捉问题

[案例]                    课堂飞来小蜜蜂

语文课上，我正和同学们一起感受着《静夜思》那种充满幻想的意境，突然第一排靠窗户的两位同学在用手扑打着什么，紧接着第一排中间的同学又左躲右闪。啊！一只小蜜蜂在孩子们的身旁飞来飞去。我连忙喊："不要乱动，它就不会蜇你。"蜜蜂又向教室的中间飞去，虽然我大声喊着："别动，别动。"但一年级的孩子，由于生活经验少，孩子们还是出于本能的躲闪、扑打。其他同学也惊呼着："蜜蜂，蜜蜂！"我担心蜜蜂蜇住学生，同时也想尽快恢复教学。我快步走过去，用语文书用力地扇风，想把蜜蜂扇出窗外。谁知，蜜蜂竟落到我高高举起的手背上。教室一下子安静下来，同学们都瞪大了眼睛，盯着我的手背以及手背上的蜜蜂。我连忙举着手向教室门外走去。关好门后，我用力一甩，蜜蜂飞走了。我推开门，微笑着说："老师刚才在走廊上，一甩手把蜜蜂送走了。"孩子们用惊奇地目光专注地望着我，眼睛连眨都不眨一下，无一例外。70人的课堂，这种全员专注我一人还是第一次出现。我也没来得及多想，就往下继续进行教学，孩子们注意力高度集中，发言积极，上课效果非常好。

课后，那只飞进课堂的小蜜蜂和同学们那专注的眼神一直萦绕在我的脑海中，我陷入了沉思中：蜜蜂飞进课堂，可谓百年不遇。有人教了一辈子书，也没遇到过。我从教18年，这也是头一遭。我当时为什么不改变预先的教学设计，抓住学生心灵的涌动与震颤呢？古诗教学往后放一放，怎么就不行呢？我这不是过分地强调预设，把生成推向绝路吗？《新课标》不是告诉我们：教学需要预设，但预设不是教学的全部，教学的生命力与真正价值在于跳出备课预设的思路，灵活应变，尊重学生的思考，尊重学生的发展，课堂会因生成而变得美丽吗？我不停地在心里埋怨自己……

我决定采取补救措施，把这次偶发事件作为教育良机，让它成为教育教学的生长点——对学生进行说话训练。

下节课，我以记者的身份采访学生："孩子们，我是《中央电视台》'实话实说'栏目的记者。这节课，我专程来采访同学们。听说，上节语文课，你们课堂上飞来了一位客人，它是谁呢？"

同学们齐声回答："小蜜蜂。"

我笑着问："小蜜蜂都到谁那儿做客了呢？"同学们纷纷举起小手。

我接着问："小蜜蜂飞到什么地方，你是怎么做的？"

孩子们立刻兴奋起来。

一个学生说："蜜蜂飞到我的桌子上，我赶忙用书拍它。"

一个学生说："蜜蜂飞到我的鞋带上，我轻轻地抬起脚，它就飞走了。"

一个学生说："蜜蜂飞到我的文具盒上，我拿起文具盒，它就飞走了。"

一个学生说："蜜蜂飞到我的头上，我轻轻一晃头，它就飞走了。"

一个学生说："蜜蜂飞到我的胳膊上，我很害怕，趴在桌子上一动也不敢动，它就飞走了。"

……

"你们老师用书使劲地把它向窗户外扇时，怎样了呢？"我问。

"它落在了崔老师的手上。"一个孩子抢先回答。

"当时教室里是怎样的情况呢？"

一个学生说："当时，教室里很安静，同学们都吃惊地睁大了眼睛。"

一个学生说："当时，同学们吓得都不敢出声。"

一个学生说："当时，同学们都在为崔老师担心。"

"你们担心什么？"我顺着学生的话问下去。

"我们担心蜜蜂蛰崔老师的手。"

"我们担心蜜蜂把崔老师的手蛰个大包。"

"当时，我们都为老师捏了一把汗！"一个学生补充道。

"你们老师是怎么做的呢？"

"老师快步走出教室，把门关上，手一甩，小蜜蜂就飞走了。"

"不对，不对。"一个孩子急忙喊道。

我连忙请他回答："老师是举着手快步走出教室的，要是老师没走出教室手就动了，那小蜜蜂还会在教室里乱飞。"

我连忙对这个学生的发言进行了肯定："他补充得太好了，真是一位会思考的学生。"

"教室里怎样了呢？"

"教室里又恢复了安静。"

"我们又继续上课了。"

"同学们又大声地读起课文来。"

……

最后，我又留了课外作业：试着把语文课上的风波——小蜜蜂飞进课堂的经过写下来。第二天，我看着学生写的小短文，不由得喜上眉梢。最长的短文，小楷本写了一页半，最少的也写了四五行。篇篇记述清楚，用词准确。同学们的写作能力竟忽然提高了一大截。这真是"山重水复疑无路，柳暗花明又一村"。语文教学因闪耀着思想、精神、生命的光辉，而走进了一片灿烂的大地。

回顾第二个教学片段，正因为教师熟悉小蜜蜂飞进教室的过程，并根据一年级学生的心理和年龄特点，进行了问题的预设，采用记者采访的形式吸引了学生，学生才能自如地表达，还收获了小短文这一未曾预设的精彩。由此可见，教师有必要对课堂进行充分地弹性设计，要对过程多做假设，多模仿一些情境，多考虑一些情况，预先做到对结果了然于心。这样，教师才能从容不迫地面对学生，才能在和学生对话时胸有成竹，才有可能收获许多未曾预设的精彩。叶澜教授指出：在课堂教学中，强调动态生成，并不主张教师和学生在课堂上信马由缰似的进行学习；而是，教师有教学方案的设计，并在教学方案中预先为学生的主动参与留出时间和空间，为教学过程的动态生成创设条件。由此在教育教学中经常会出现一些偶发事件，我们可以挖掘教育价值，捕捉教育信息，提高随机应变的能力，根据当时的具体情况，巧妙地在学生不知不觉中做出相应的变动。教师要善于捕捉孩子们在日常生活中的"寻常时刻"。用"慧眼"看待教育问题，处处留心，提升教学机智。

可见，只有让预设与生成和谐相生，课堂教学才会高潮迭起，精彩纷呈。

（由河南洛阳景华实验小学崔向东老师撰写）

行动研究最大的特点是它的情境性，教学场景是教师行动研究发生的场所，也是教师研究问题的真实土壤。教师要意识到自身研究的问题大多不是来源于对理论材料的占有和分析，而是对生动活泼而又变化无常的教学生活的细心观察和体悟。但并不是每一位教师在进入教育现场时都会自然地发现问题，关键是教师要有一双善于观察和发现的眼睛，能够在意外的、稍纵即逝的教学现象中捕捉到有价值的问题，甚至在看似平常的地方发现问题。这都需要教师养成积累和思考的习惯，培养对教育教学的独到理解和认识，善于把握和利用教学情境，善于从细节中发现问题，形成高超的教学艺术。

## 三、从理论学习和阅读中发现问题

[案例]　　　　**我和苏霍姆林斯基的"初恋"①**

我在大学是很不喜欢教育学、心理学课程的。不单单是因为这些课的教材枯燥、乏味，更重要的是，当时我还一厢情愿地做着我的文学梦……每次上这样的课，我多半是坐在最后一排写自己的所谓"朦胧诗"。

这种"惯性"甚至一直持续到我已经分配到乐山一中——在参加工作最初的一段时间，我从来没想过要读什么经典教育学著作……

那是我出手打了学生之后，校长狠狠批评了我一顿，叫我"好好想想"。当时，年轻气盛的我顶撞道："我早就想过了，没有什么可想的！"其实，我当时何曾不知道老师打学生是极其不对的，只是嘴硬罢了。在那一段时间里，我心里十分难受：不是对自己的错误后悔莫及，而是对自己的性格是否适合当教师产生了怀疑与自卑。

星期天，我去逛书店。在玻璃书柜中（那时还不兴开架售书），我看到了一本薄薄的名为《要相信孩子》的书……

这本书，并没有具体的某一句话是针对我打学生的，但全书的灵魂——对孩子的爱和信任，使我认识的深刻程度远远超越了"打学生"这个具体的错误，并使我积极地从人性角度来审视我的学生和我的教育……

就这样，苏霍姆林斯基开始走进了我的教育生活，也走进了我的心灵。

……

---

①　李镇西．走进心灵——民主教育手记［M］．成都：四川少年儿童出版社，1999：288－293.

本来我是在因打学生而产生苦闷心境中打开苏霍姆林斯基的这本小册子的，但当我在那个夜晚合上这本书后，我的心中已曙光初露，霞光万道！

以后十几年中，我对民主教育的思考和探索，都是从这个朴素的观点开始的。

从此，我开始如饥似渴地阅读我所能买到的或借到的苏霍姆林斯基的著作……

在我接触苏霍姆林斯基著作之初，我就有意识地学习他：学习他对学生的挚爱，学习他对教育的执著，包括学习他坚持不懈地写"教育手记"。后来我在写有关教育论文或著作时，我的行文风格也散发着一股浓浓的"苏霍姆林斯基味儿"——夹叙夹议，以情动人，将自己对教育的思考融会于一个个教育故事之中；甚至我的第一本专著《青春期悄悄话——致中学生的一百封信》，在体例和书名上都是模仿苏霍姆林斯基的《给教师的一百条建议》……

李镇西的学习和研究发生在一个特殊的问题情境里：自己打了学生，正处于苦闷之中，怀疑自己和懊悔自卑。这时，他阅读了苏霍姆林斯基的著作。学习使他明白了困扰自己的问题，并产生了要改变自己的想法，促使他转入新的问题情境，进入了研究的状态中。

教师能否发现自己教学中存在问题，以及存在什么样的问题，往往在很大程度上与教师个人的理论水平和理论视野有很大关系。理论贫乏、视野狭窄的教师常常只能依靠经验来实施教学，或者模仿他人的经验进行教学，难以对教学进行深入思考，对教学中存在的许多问题都会视而不见，也不可能知道问题的缘由和化解策略。实际上，教师的知识结构和理论视野极其显著地制约了教学研究的开展。理论的陈旧与贫乏，使得很多教师难以适应当前充满变化的课堂。因此，教师要不断通过阅读来扩大自己的视野，提升自己的理论水平，用最新的知识和方法来思考自己的教学过程，才能不断发现问题。

## 四、从与同事的交流中发现问题

[案例]                          同伴是书

　　那是一次集体备课。我们在一起钻研《鲸》一课的教材教法，大家畅所欲言，对每段内容的教学都想出了"妙"招。有位教师说，第一自然段用具体数字写出了鲸之大，教学时，可以先用"填一填"的方法，出示电子幻灯片，让学生将能突出表现鲸大的词语填在括号中。例如，"鲸最大重十六万公斤，最小重两千公斤，一条舌头有十几头大肥猪重"等。再用"演一演"的方法，让学生站起来，高举双手，体会鲸张开嘴的高度，让学生四个人围在桌旁，体会鲸张开嘴后的巨大空间。课文第二自然段主要写了鲸的进化过程。有位教师提议，让学生把自己当做鲸，结合搜集到的鲸进化前和进化后的图片，将这一段话以第一人称的形式转述给学生听。课文第三、四、五自然段介绍了鲸的种类及鲸吃食、呼吸的不同特点。有位教师建议，引导学生读一读，比一比，并找出描写它们生活习性的语句，填充表格，使齿鲸和须鲸吃食与呼吸特点清晰地再现眼前。文章第六自然段写了鲸怎样睡觉，有位教师建议让学生读书后想象鲸睡觉的情景，并把它画下来。蔚蓝的大海中，几头鲸聚在一起，头朝里，尾巴向外，围成一圈，浮在海面上。鲸熟睡时那安谧静美的画面就跃然眼前。这时，有一位教师提出来，让学生认识鲸的现状并不难，可怎么解决"鲸不属于鱼类，是哺乳动物"这个教学难点。于是大家纷纷展开了讨论，结果商讨出了一个妙招：模拟记者招待会，让学生推选一名同学当发言人，其他人当记者提问，既总结了全文，又突破了难点。

　　思维的碰撞总会产生最绚烂的火花。随着讨论的深入，大家提出了越来越多的教学问题。一位教师提出：这些设计都体现了教学的目的是教教材，学生收获的是课本的知识和课文中蕴涵的思想教育，享受的是"戴着枷锁跳舞"的愉悦。那么怎样让学生自主学习、突破重难点呢？

我们再三商讨，认为可以让学生质疑——教师提出本文的三个重点问题：1. 课文是怎样来说明鲸很大的？2. 鲸的生活习性怎样？3. 为什么说鲸是哺乳动物？让学生进行选择，并自主探究，可以读文，可以标记，可以画图，可以展示图片……

就这样，通过一次次的集体教研，我在无形中感到自己在不断进步。每当和同伴们在一起研究的时候，这种感受就会扑面而来。带给自己的是永久的"营养"，带给学生的是各方面能力的培养。同伴真是一本很耐看的书呀！让我们轻轻地俯下身子，用自己的心灵去靠近与触摸这本书吧！那时你会觉得，它是那样芬芳迷人，韵味悠长。

（由河南洛阳景华实验小学崔向东老师撰写，略加修改）

教学是一项复杂的实践活动，需要集体智慧、集思广益才能不断得到完善。而依靠个人独立思考很难做到全面、深入，也难免会有"当局者迷"的现象。因此，教师需要与同事进行合作，共同探讨教学过程的问题，这样才能相互启发、有所发现。同时，也可以取长补短、分享思想、共同进步。

## 五、从差异中寻找问题

[案例]　　　　　　　高高地举起你的左手①

那年秋天，我在学校的多媒体教室执教了一堂初中数学公开课，在上课过程中，从来不举手的 M 同学举手了，我感到有些奇怪，不过还是让他站起来发言，但是 M 站起来后一脸的羞愧和慌张，根本不知道问题的答案。

我让他坐下，没有批评他，心里有些纳闷：他为什么这次举手了

---

① 高高地举起你的左手［EB/OL］（2008－03－17）. http://www.teacherclub.com.cn/tresearch/a/1184326506cid00055.

呢？为什么又不知道答案？他的羞愧和慌张说明了什么呢？

下课后，我把 M 叫到办公室。我安慰他说，"今天你举手了，这很好，这说明你在思考老师的问题。你能不能告诉老师，你当时究竟是怎么考虑那个问题的呢？"

没想到 M 说："其实我根本不知道答案。我不希望被同学看不起，所以我举手了，希望能够侥幸蒙混过去。可是老师偏让我回答。"

我当时听了很震撼，犹豫了一阵子，对他说：这样吧，我们做一个约定，以后每次上课你都积极举手，如果不知道答案，你就举你的右手；如果知道答案，你就举你的左手，我就让你起来回答问题。

在接下来的几天里，M 同学果然每节课都举手。同学们最初都觉得有些奇怪，但时间长了，就开始渐渐相信 M 是学习高手了。

有一段时间我做过统计，M 举左手的次数为 25 次，右手的次数为 10 次。但我又找他谈话，把我统计的他举手的次数告诉他之后，他举右手的次数越来越少。

M 在日记中写到："别让自卑打倒你的自信，换只手高举你的自信。老师让我举左手并且少举右手只是为了让我超越自己，换只手高举自己的自信，赢自己一把啊！在人生的道路上免不了遇到对手和困难，但如果不能举右手，那么我们做的第一件事就是'高高地举起你的左手'……"

人在教育中的存在是千差万别的，发现人在教育中存在的这种差别不仅是每一个教师工作职责上应尽的责任，而且也是使得教育活动走向成功的重要保证。

人在教育中所存在的差别，有些是需要抹消的，有些则是需要得到强化与保护的。然而，不管是对待需要抹消的差异，还是对待需要得到强化与保护的差异，要求教师在教育教学活动过程中都必须首先要做到尊重，即尊重在教育活动过程中人与人之间所存在的心理上或行为上的差异。也只有在教育教学活动中真正地尊重了这种差异，并合理地利用与发挥这种差异的作用及其价值，教师工作的针对性与有效性才能够得到真正地提高，才能够使得个体在教育活动中以自己的方式而存在着，这也许就是差别教育的真正含义吧！

心理学研究早就证明了儿童之间在智力水平、气质类型上存在极其显著的个体差异。哈佛学者加德纳进一步指出了人的智力水平的多元性，他认为每个人都存在着八种类型的智力形式，即语言智力、数理逻辑智力、空间想象智力、音乐智力、人际关系智力、内省智力、身体智力和生态智力。由于这八种智力类型在每个人身上表现的形式并不一样，因而个体之间表现出千差万别的特点。比如，有的人善于演讲，有的人善于思考，有的人善于绘画，有的人善于歌舞，等等。总之每个人都有自己的特点和特长。同时，由于个体之间家庭环境和生活经历的不同，即使在智力水平和智力类型上相近的学生，他们往往在性格、学习风格和学业成就上也表现出很大的差异性，这种差异性与我们目前的这种以班级，特别是大规模班级授课的教学组织形式产生了严重的冲突。如何在教育中照顾到学生的差异性，提供给每位学生都能接受的教学方式和教学内容，从而真正体现"一切为了孩子，为了一切孩子，为了孩子的一切"的以人为本的教育理念，促进每位学生身心和谐发展，是每位教师都无法回避的现实问题。从某种程度上来说，教学的复杂性、艺术性和专业性都源于学生的差异性。差异是教师教学问题的真正源泉，正是这种差异性赋予了教师研究的价值。教师必须时刻关注学生的差异性，从促进学生发展的角度来反思自己的教学，就会找到无穷无尽的研究问题。

## 六、从学校和学科发展中确定问题

［案例］　　**构建身心和谐发展的教育模式**
　　　　——北京市育翔小学心理教育特色的形成

20 世纪 80 年代，育翔小学就是北京市西城区颇有办学特色的一所学校。该校在体育教育上形成了一套自己的模式，尤其是在篮球教育方面成绩卓著，招收和培养了一大批体育特长生。但是，随着素质教育的实施，学生全面发展的理念越来越深入人心。加上国家对小学体育的日益重视，小学阶段以培养体育特长生来促进学校发展的办学模式，已经跟不上时代和教育发展的步伐，也就很难体现学校的办学特色了。特别是在新一轮课程改革和义务教育均衡发展的政策实践中，迫切需要学校转变教育观和人才观，培养身心健全发展的人。

那么，在这样的背景下，学校应该如何抓住机遇，使学校再上一个台阶呢？

学校多次召开全体教师会议，讨论新形势下学校发展所面临的新问题。学校还不断邀请教育专家、社区成员、学生等参与讨论。经过多方征求意见和认真分析当前中小学教育现状后，学校果断决定放弃原来招收和培养体育特长生的做法，把学校办学的突破口集中到促进学生身心和谐发展上来。

学校再次召开研讨会，成立了学校办学特色研究小组。教师们在对周边学校和自己学校的学生研究中发现，随着独生子女的增多，特别是在北京这样的大城市，就业和生存的压力使得许多家长疏于对孩子的教育，或缺乏教育孩子的经验、耐心和方法，加之学校一时还难以摆脱应试教育的压力，学生学业负担比较重。这种家庭和学校的双重原因使得很多孩子心理发展很不健全，或不同程度地患有心理疾病。因而，如何帮助这些独生子女消除心理压力，实现身心和谐、健全发展，成为小学阶段教育所面临的重要任务。于是，学校决定把心理健康教育作为新时期学校办学的主要特色。

（根据北京育翔小学杨东燕副校长口述整理）

教师的教学与学校的发展是分不开的，两者都统一于学生的发展。当教师把自己的教学与学校的整体发展联系起来思考的时候，就会发现有很多的问题需要研究、解决。毕竟，教师是学校组织中的主体，离开教师，学校的作用也就不存在了，而学校发展的方向、发展的成功与失败都取决于每位教师个体的努力，教师与学校是"一荣俱荣，一损俱损"的关系。学校的发展为教师个人的发展带来了机会和提供了平台，而教师个人的发展又为学校的整体发展奠定人力和智力基础。因此，教师的行动研究不仅要关注课堂中发生的事情，而且要为学校的发展献计献策。

此外，教师的工作是有分工的，不同的教师所教授的学科既是教师工作的主要内容，也是教师专业发展的核心。因此，学科的发展与教师个体的专业发展密切相关。作为专业人员，教师必须关注本学科领域的最新进展，并以此来指导实践，在专业实践中不断发现问题、研究问题、解决问题。

### 七、从教育政策实践中发现问题

任何一场教育变革最终都是与学生、与课堂紧密联系在一起的，可以这么说，对课堂或对学生没有影响的教育变革是没有成效的变革，而教师是学生和课堂生活的主导者，因而也是教育变革发生作用的中介。一切好的教育改革思想和教育政策理念最终都必须通过教师的工作实践才能真正体现出来。所以，教师要保证自己的教学方向，提高自己的教学效果，就必须关注教育改革动向，在教育政策实践中发现问题。唯有如此，教师才能使自己的研究焕发出时代的魅力。

## 第三节　选择研究问题的几个基本原则

教师作为行动研究者，具备了问题意识和浓厚的研究兴趣后，就可以为自己选择具有挑战性的研究问题了。那么，教师可研究的问题有哪些？如何选择研究问题？

教学过程的复杂性决定了教师可以研究问题的多样性。国外有学者将教师研究的问题归纳为三种基本类型：描述性问题、差异性问题和相关性问题。描述性问题指的是单纯问"是什么"的问题。例如"实行探究性教学一个月后，学生会发生什么样的变化？"差异性问题是一个比较性的问题，即比较两种或多种现象之间的差异。如，"探究式教学与传授式教学在教学效果上是否有所不同？""大班的学生和小班的学生是否会具有不同的学业成就？"等，都属于差异性问题。相关性问题是探讨两种或多种因素之间相关程度的问题。比如，"合作学习与学生的学业成就的相关程度如何？""学生的学习态度与父母的教育方式关系有多大？"等等。但是，教学中的很多问题对于教师来说并不都是可以研究或值得研究的。教师在选择和确定研究问题时还要遵循以下几个基本原则。

## 一、问题要有研究价值

研究是实现教师专业发展和学校发展的重要途径，需要教师精心准备和全心投入，花费一定的时间和资源。因而，教师选择的研究问题首先必须要有研究价值，也就是说所选的问题要值得研究。教师选题是否有研究价值可以从三个方面来进行衡量：（1）研究的问题是否对改善教师的教学实践，提高教学效能，提升教师的专业水平有所帮助；（2）研究的问题是否有助于学校或学生的发展；（3）研究的问题是否体现了教育教学改革的精神和理念，是否有助于深化和推进教育教学改革。

在研究过程中，确实存在着一些教师因不善于选题，或者选择了一个没有研究价值的问题而浪费了太多时间和精力的现象。比如，有一位教师在对班级中一些平时表现比较突出、学业成就比较好的学生进行观察后发现，这些学生都具备一个共同的特征，就是衣着比较好。因此，他开始研究"学生着装与学业成就的关系"。显然，这是一个没有多大研究价值的问题。因为，衣着好只是这些学生的一个外表特征，它与学生学业成就没有必然的联系。即使通过研究发现了两者之间存在着某种程度的相关性，那么，教师是否要给每位穿着比较差的学生重新换一套服装呢？再比如，由于受应试教育和择校的影响，一些学校为了提高自己的声誉，在升学考试上大做文章。导致一些教师把研究的主要问题都集中在"如何提高学生的应试能力上"。这类问题的研究不仅耗费了教师大量的精力，而且与素质教育背道而驰，显然也是没有多大研究价值的。

因此，选择一个有研究价值的问题首先需要研究者对教育问题有深刻的理解和把握，需要研究者对教育实践充满了热情，并密切关注重大教育改革事件和最新研究成果。

## 二、问题的科学性

问题的科学性要求教师所选择的问题必须尊重科学发现问题的程序，按照科学的方法进行论证。论述观点时要以客观事实为基础，而不是单凭主观臆断。比如，你看到某些学生经常在化学课上睡觉，就据此认为这些学生学习不认真或者不喜欢化学课。从研究的角度来讲，这位教师应该对相关的教师和这些学生进行访谈，探究到底是什么原因导致这些学生在化学课上经常睡觉，是学生自身的问题，还是化学老师的课索然无味，抑或是化学课的时间安排不当，等等。这些都需要教师运用科学的研究方法，在调查研究的基础上确定问题、究其原因。

问题的科学性还要求教师在提出问题时要以教育教学理论为基础，教育教学基本理论对教师研究选题具有定向、规范和解释的作用。没有一定的教育教学理论作依据，教师选择的研究问题难免存在一定的盲目性。

## 三、问题的现实性

问题的现实性源于教师行动研究的性质和目标。教师行动研究是教师一边在行动，一边做研究，研究在行动中发生，行动在研究中进行，两者浑然一体。因此，教师研究的问题更多的是对当下教学行动的思考，具有极其强烈的现实意义。同时，这种现实性还决定了教师研究问题的目标必须是为了改善自身教学实践服务的，因而又具有很强的针对性。所以，教师在选择研究问题时必须选择具有较强现实性的问题。

## 四、问题要具体明确

教学中的问题很多，而且问题与问题之间可能存在着千丝万缕的联系，有时候，我们发现的问题可能是一个问题链。但是，作为研究的问题，其范围一定是有限的，一定要具体化。要界定清楚研究的问题是什么。研究的问题不能太笼统，不能包含太多的子问题。对研究而言，问题的范围越小，越具体越好。问题越大，就显得越笼统，越不便于研究。教师在确定研究问题的过程中，不能一味贪大求全，要从小处着手，以小见大。

比如，有一个教师在初次选择研究问题时·把研究选题界定为"某校青年骨干教师的培养与任用研究"。这个选题中包含了两个问题，即"培养问题"和"任用问题"。在一个研究中要把这两个问题都研究清楚是有难度的，所以，需要进一步细化，将研究集中到一个问题上来。但是，即使在"培养"和"任用"两者之间任选其一，仍然难以开展研究，关键就在于这两个问题中包含了太多的子问题，无法看清楚研究者究竟要研究什么。通过层层挖掘和细化，最终，该教师将研究问题界定为"某校促进青年教师成长发展的策略研究"。这个问题相对来说就比较清晰了，主要集中在促进青年教师成长发展的策略上，而且将研究范围限定为"某校"。问题表述的具体明确可以使研究的对象、重点、目标一目了然，且便于研究的具体开展。

## 五、问题要有可行性

有时候，我们发现了一个很有价值的研究问题，也相当新颖和独特，并具有非常重要的现实意义，但就是没法展开研究。这时候，就需要考虑所选择的研究问题是否具有可行性。所谓可行性就是指教师选择的问题能否被研究，也就是说，在现有的时间、资源、能力和政策条件下能否顺利开展。考察研究问题是否具有可行性可以从以下三个方面入手。

一是客观条件。包括研究可能涉及的资料、研究设备、时间、经费、人员等，能否为开展研究提供基本的支持。教师在研究之前，可能会遇到学校图书资料相对较少、网络设备不健全、研究经费和研究时间不足，以及参与研究的人员较多但真正能发挥作用的人可能很少等问题。教师在选择研究问题之前，应充分考虑这些外在的客观因素，力求在现有资源条件下完成自己所要研究的问题。比如，有教师选择研究"中小学教师的职业倦怠问题"，这就超出了客观条件的许可。因为这是一个涉及很大样本的问题，教师的时间、研究的经费、数据处理的技术可能都不具备，开展起来也非常困难，如果把它界定到本校范围内，做一个小范围的案例研究就变得简单易行多了。

当然，强调客观条件对研究的制约，并不意味着客观条件不可改变，也不意味学校研究条件差，教师就可以不研究了。其实，有些资源完全可以从校外获得，比如研究资料的收集，研究人员的组成等。教师在选择研究问题前，既要考虑客观条件的可行性，又要发挥主观能动性，尽量为研究的顺利开展创造或争取适当的条件。

二是主观条件。研究者本人的知识结构、理论水平、经验、专长、兴趣等都会在一定程度上制约教师研究的顺利开展。教师在选择研究问题时应该充分考虑到自身的特点，在自己的能力范围内选择一些问题进行深入研究，积累知识和经验，逐渐解决教学中的疑难问题。一般来说，中小学教师不适宜选择那些纯理论的问题，比如，什么是教育公平、什么是素质教育、小学生的思维特征等，这些理论性的问题需要有相当的理论积累才能进行研究。教师研究的问题更多地属于实践领域和操作层面上的问题。比如，小组教学如何分组？课堂中如何关注到每一位学生？如何提高学生的写作能力？等等。这些问题比较符合教师的主、客观条件，相对容易开展。

三是政策环境。教育活动的发生受教育政策的规范与引导，因此，教师研究的选题必须与现行的教育政策相吻合，否则，研究的问题可能会背离教育发展的趋势和要求，把学生、教师自身甚至学校的发展引向错误的轨道。教师在选择研究问题之前，应该认真熟悉当前有关教育改革的指导性文件，特别是关于教育改革的主要思想和主要措施，以免自己的研究问题与教育政策的发展相脱节。

最后，还需要说明的是关于教师研究的新颖性和独创性问题。当然，对于一个规范的学术研究来说，新颖性和独创性是研究的生命和价值所在。但对于一线教师来说，由于教师的角色和任务与专业研究人员不同，加之研究经验和知识背景也有所差异，一线教师很少涉足别人从来没有研究过的领域，因而，教师研究未必一定要追求新颖性和独创性。从另外一个角度来看，新颖性和独创性也不仅仅是指开创别人从未有过的研究，或者提出别人从未提出过的问题和观点。同样的问题换一种情境，换一种研究方法，换一个研究对象，都是一种创新。尤其对教师行动研究来说，每个教师所处的研究情境，所选择的研究对象，所使用的研究方法，收集到的研究数据都是不同的，提出的解决策略也不可能完全相同。因而，新颖性和独创性对于教师的行动研究来说是内在生成的，不需要刻意去追求。

当然，教师行动研究也不能总是重复别人的做法。教师要使自己的研究真正有价值，就必须在研究之前广泛阅读，检索文献，了解相关的研究成果，做好文献综述工作。这样既可以避免不必要的重复，也可以在已有的研究成果上拓展出新的内容。

**思考题**

1. 如何理解问题对于研究的重要性？

2. 在日常教育教学工作中，怎样培养我们的问题意识？

3. 怎样找到一个有价值的研究问题？

# 4

# 我们如何做研究

初期研究的障碍，乃在于缺乏研究方法。
无怪乎人们常说，科学是随着研究方法
所获得的成就而前进的。研究方法每前进一步，
我们就更提高一步，随之在我们面前也就
开拓了一个充满着种种新鲜事物的更辽阔的远景。
因此我们头等重要的任务乃是制定研究方法。

——巴甫洛夫

　　前面我们已经论述了教师研究主要是一种行动研究。作为行动研究者的教师主要关注的是如何证明某一程序或方法在课堂上的有效性，或是关注寻求解决课堂问题的有效策略，而不是特别关注是否提出了新的理论或是能否发表文章、出版著作。但这种看似非正式、非学术的行动研究也应当是有条理的、系统化的，也要遵循研究的基本程序，符合研究的一些基本特征和要素。否则，教师行动研究就很难与教师的日常教学活动区分开来，也很难为教师改善教学提供有价值的信息。

　　目前，中小学教师对行动研究存在着一些认识误区，认为行动研究既不需要什么理论指导，也不需要什么特别的方法，更无需遵守什么程

序，只要行动起来就足够了。显然，这种认识还没有把属于研究的行动与属于日常教学的行动区分开来，在某种程度上可以说是只有"行动"，没有"研究"，存在把研究简化和庸俗化的倾向。实际上，只要是属于研究的行动，总需要遵循一定的规则和程序，比如，都需要从问题开始，都需要相关研究方法的支撑。唯有如此，教师行动研究才能得出较为科学的结论，才能提出解决实际问题的有效办法和措施。

那么，我们该如何做研究？

# 第一节　学会检索和分析文献

## 一、文献对于教师研究的作用

文献，"指记录有知识的一切载体，即以载体形式传递知识。口耳相传和实物传递则是非载体形式。文献是记载人类知识最重要的手段，是传递、交流研究成果的重要渠道和形式"①。文献作为一种主要情报源和信息源，是开展研究的重要素材。

文献研究既是一种独立的研究方法，也是任何研究开始的基础。广泛阅读和认真分析相关文献可以帮助研究者了解他人在类似研究上所作的贡献；帮助研究者理清思维，提出科学的研究假设；也有助于研究者理解类似研究的主要观点、最新进展，尤其是可以为研究者提供再次研究的方向和经验。所以，做好文献查阅、整理和分析工作是保证研究质量的重要前提。

对于正式的学术研究而言，文献查阅的数量和质量，文献分析的广度和深度通常都是检验研究质量的重要标准。对于非专业研究者的教师来说，文献研究的要求虽然不如专业研究者那样严格，但是，作为研究的基础，文献研究仍然是必需的。

---

① 裴娣娜. 教育研究方法导论［M］. 合肥：安徽教育出版社，1995：88.

　　长期以来，人们对中小学教师在研究中是否需要查阅文献存在误解，对文献研究在教师研究中的作用认识不足。一些人认为，中小学教师做研究主要是解决教学实践问题，是个人对教学的反思行动，不需要查阅文献。这一点可以从当前很多指导教师研究的书刊中看出来，在这些书刊中，大家很少提到教师要阅读文献、如何查阅文献和做文献研究。实际上，对于教师来说，阅读和分析文献是培养自己的理性思维、提升自己的理论水平所必不可少的步骤。在选定了研究问题之后，不对相关研究的状况有一个基本的了解，不去了解别人在类似问题上的观点、看法以及解决策略，教师个人的反思行为就会成为无源之水，甚至会有"重复性建设"等情况发生。尤其是对于那些理论知识相对欠缺的教师来说，查阅文献更是研究之初必须要做的工作。否则，所做出的研究就难免流于浮躁和肤浅。只有在认真阅读和分析相关文献基础上，教师才能够将研究深入地开展下去。从某种意义上说，阅读文献是教师与相关研究者或专家进行的跨时空的对话与交流，这种"不在场"的合作对于研究者的启发和帮助有时比同事之间的现场合作效果可能还要好一些。

　　有一次，我参加了教师 Z 的一堂公开课的听课活动。在课后组织听课教师进行评课时，许多教师都对课堂上 Z 老师没有均衡学生的发言机会而对他所持的课堂教学公平原则给予指责。有的教师还给出了确切的统计数据，某某学生被提问 5 次，某某学生被提问 3 次，某某学生没有被提问到，等等。因为，在他们看来，教师要在课堂上照顾到全体学生，要给予所有学生相同的提问和回答机会，否则，就是违背了课程改革关于"教育要面向全体学生"的要求。显然，这里面隐藏了一些更重要的问题，比如，什么是课堂教学公平；衡量课堂教学是否公平的标准是什么；课堂教学公平受哪些因素影响；如何有效保证课堂教学公平的实现，等等。大多数教师都把课堂教学公平等同于学生提问和回答老师问题的次数。被批评的 Z 老师为此感到十分困惑，他的班里有 70 多个学生，如果每个学生都给一次发言机会的话，45 分钟的课堂教学时间显然是不够的。再者，每个学生的要求和积极性也不一样。有的学生积极性很高反复举手，如果教师不给他机会，他的课堂参与积极性就会受到影响，甚至会发生捣乱行为，而有的学生你就是再鼓励他，他也很少举手，但并非意味着他没有参与课堂学习。

为了解决这一疑惑，Z 老师决定通过查阅文献来搞清楚到底什么是"课堂教学公平"，如何才能做到"课堂教学公平"。通过查阅，Z 老师发现他的同行们对"课堂教学公平"这个概念有一定的误解。真正的"课堂教学公平"不是仅凭学生发言次数来反映的，而是反映在学生参与课堂的机会，其本质是"有教无类"和"因材施教"。课堂教学公平目标的达成是通过教师课堂内容的安排、讲解的深浅程度、课堂关注的范围，甚至是通过教学组织形式和作业设置来体现的，而并不是要给予每个学生同等次数的课堂发言机会，这恰恰需要因人而异组织教学。为了实现课堂教学公平，教师在课堂上可以采取不同方式让更多的学生参与到课堂中来。例如，有的学生性格非常外向，乐于积极发言，那么就可以多给他几次机会，而有的学生性格内向喜欢独立思考，不太喜欢在课堂上表现自己，那么，教师就可以采用另外一种方式来表示对他的关注，比如一个鼓励、肯定或欣赏的眼神，课堂上随意的一两句表扬，等等。通过查阅文献，Z 老师还进一步了解到"教学机会的不平等"是目前班级授课制的重要缺陷，尤其是在大班额的情况下，这种机会不平等的情况更为明显。不仅如此，通过阅读文献，Z 老师还掌握了很多缓解课堂教学公平矛盾的有效方法，比如，控制班级规模，推行班级小型化、小组教学、分层教学，以及增加与学生私下单独接触和辅导的次数，等等。由此可见查阅文献对于教师发现问题、研究问题和解决问题的重要作用。

## 二、文献的种类及分布

那么，究竟哪些材料可以成为教师研究的文献？从事行动研究的教师应该占有哪些文献？这些文献都分布在何处？

## （一）文献的种类

一般而言，根据加工程度高低，文献可以分为如下四类。

### 1. 原始文献

也有学者称之为零次文献，它是事件经历者所撰写的，也是没有经过任何加工和修饰的原始材料，如，未发表的书信、手稿、讨论稿、草案和原始记录等。学校里常见的原始文献有教师日志、师生之间交流的信件、教师博客上的个人教学感悟、教案、学生作业等。此外，教师与他人包括管理人员、同行、学校职员、学生、学生家长、社区成员等之间的谈话记录，都属原始文献。原始文献最初不是为了研究的目的才有的，因而较好地保持了事件的原貌，能够给研究者提供丰富的、鲜活的信息。

### 2. 一次文献

包括专著、论文、调查报告、档案材料等以作者本人的实践为基础所创作的材料。一次文献的特点是分布很广，容易获得，并具有较高的研究价值。

### 3. 二次文献

是对原始文献加工处理，使之系统化、条理化的检索性文献，一般包括题录、书目、索引、提要和文摘等。二次文献是对一次文献的再认识和再梳理，具有报告性、汇编性和简明性等特点，是检索工具的重要组成部分，可以帮助研究者在很短的时间内最大范围地搜索到相关研究信息。

### 4. 三次文献

是在二次文献基础上对某一范围内的一次文献进行广泛的、深入的分析研究后综合浓缩而成的参考性文献，包括动态综述、专题述评、进展报告、数据手册、专题研究报告等。这类综述性文献对某一问题的梳理和分析比较全面，浓缩度高、覆盖面宽、信息量大，具有综合性、浓缩性和参考性等特点。

由于经过了作者的加工和提炼，一次文献、二次文献和三次文献也通称为第二手文献。

当然，以上对于文献类型的划分也只是相对的，有些材料在不同的研究情况下，分类也会有所不同。比如，中学教材《历史与社会》，在研究某个历史事件拿来做参考时就属于第二手文献，因为它是经过了加工和提炼的，而在研究《历史》教材的变化中，它又属于原始文献了。不同的文献对于研究的价值是不同的，对于一个专业研究人员来说，原始文献往往是最有价值的参考文献，原始文献使用得越多，该研究的价值可能就越高。但是，获取原始文献需要耗费大量的时间、精力，甚至是财力，而且，对原始文献的分析也需要相当的理论基础和科学的方法。因此，对于教师来说，原始文献往往并不是开展研究的主要文献。二手材料、二次文献和三次文献，因为它们的广泛性和易获得性而成为教师研究的主要参考文献。

### （二）教育文献的分布

教育文献分布极其广泛，主要分布在以下几个领域。

1. 日记、回忆录和自传

如班级日志、教师个人自传、教师博客等。

2. 信件

师生之间、教师与家长之间、教师同行之间的交流信件，现在也有一些通过 E-mail 的交流信件。

### 3. 多媒体资源

如电影、电视、光盘、网络等，尤其是在网络上，目前分布了大量的教育文献。教师要学会利用各类数字图书馆、中国学术期刊网、百度、google 等权威网站搜索与自己研究问题相关的文献。

### 4. 书籍

如教育理论和实践研究著作、教科书、各种工具书等。

### 5. 报纸和杂志

报纸类如《中国教育报》《教师报》《光明日报》《文汇报》，以及其他刊载教育信息的报纸。杂志一般可分为三类，一是偏重理论的，如《教育研究》《教育科学》《教育理论与实践》《教育研究与实验》《北京师范大学学报》（社科版）《华东师大学报》（教育科学版）《北京大学教育评论》等。二是偏重实践的，如《中国教师》《班主任》《中小学管理》《现代中小学教育》《基础教育研究》等。三是综合性教育期刊，如《中国教育学刊》《比较教育研究》《课程·教材·教法》《外国教育研究》《上海教育科研》《教育发展研究》等。对于广大中小学教师来说，可能更需要关注的是偏重实践的教育刊物。

1、2 往往是获得原始文献的主要来源。3、4、5 可以方便地获得一次、二次和三次文献，也是教师开展研究的主要文献来源。

## 三、如何检索文献

在被称为知识爆炸的信息时代，教育文献浩如烟海，如何最省力、最经济地检索到我们需要的研究材料，对于每一位教师来说都是非常重要的。

文献检索大体上可以分为三个阶段。

第一阶段，分析和准备阶段。包括分析研究选题，明确自己要检索的范围，确定检索方向，包括要检索的杂志种类、类似研究论文的作者、关键词的选择等。比如，要研究"教师专业发展"问题，那么，检索范围基本可以限定为"教师教育"，第一次搜索的关键词可以限定为"教师"，然后，在已检索到的文献范围内再以关键词"专业发展"进行第二次搜索。搜索时，还可以确定搜索的杂志类别和等级，还可以对相关权威研究者的材料进行重点搜索，这样就可以比较方便、快捷地找到相关的文献。

第二阶段，搜索和分类阶段。利用中国学术期刊网搜索到的文献可以在电脑上建一个文件夹，按主题集中存档，收集完毕后，可以将电子文档进行归类和摘录。在图书馆搜索到的纸质文献，如果带着电脑也可以随时摘录并记好出处，如果只有纸质笔记本，应及时摘录并记好出处。

第三阶段，加工和整理阶段。对检索和摘录的文献进行二次筛选，剔除掉与自己研究问题关系不大的文献，并对一些关键性的文献进行进一步的梳理和分析。

文献检索要注意以下三个问题。

一是相关性。需要在认真分析自己的研究选题后对检索范围进行比较清晰的界定，要把不相关的文献排除在外。比如，有一位教师选择了一个研究题目，题为"以团队目标促进教师专业发展的策略研究"。那么，他需要搜索的文献包括团队建设、团队目标、教师专业发展，以及团队建设和团队目标与教师专业发展的关系等。检索后可能发现，有关最后一个问题的文献比较少，这说明，这一部分正是他的研究所要解决的问题，也正是他的研究的价值所在。只有了解了他人在这方面所做出的有益探索，我们的研究才能有比较坚实的基础。在现实的学校科研中，我们经常看到很多教师选择了一个很好的研究问题，但在文献检索上却不知道如何区分相关和非相关文献，结果，在与自己研究内容没有多大关系的材料上浪费了大量的时间和精力。

二是时效性。我们正处于一个飞速发展的时代，知识创新的速率也在不断提高，很多在当时看来非常合理的观点过几年可能就变得不合时宜了。同时，教师研究更多的是一种面向实践、服务实践的研究，而实践又是在不断变化的。因而，教师研究过程中，所查阅和参考的文献最好是比较新的文献，时间应该以 3 至 5 年内为宜，特别是报刊文章。除非是做历史研究，一般不需要看太多时间久远的文献。

三是权威性。不管对何种类别的研究来说，权威性文献都是具有重要价值的参考材料。权威的观点是在研究中足以说服他人的主要证据，因为权威性的观点是已经为大多数人所公认或接受的观点，而如果引用了一个从来没有被人接受过的观点，其研究的基础就值得怀疑了。对于专业研究者来说，区别文献的权威性与否比较容易，只要看一下杂志的权威性和作者的知名度大抵就能做出判断。但对于普通中小学教师来说还是比较困难的，他们既不清楚哪些是权威性杂志，更不了解哪些人物是权威性人物。那么，一个比较简捷的办法就是在网络上查阅作者的研究成果。一般来说，一个权威性的观点都是在很多研究的基础上产生的，如果某个研究者在相关问题上做过很多研究，并发表了许多类似文章，他的观点的权威性相对就比较强，就比较适合作为研究的权威文献。

文献检索的目的是了解在某一问题上他人所做的研究工作，以及他人在类似问题上的主要看法，并为自己的研究提供文献支持。对于中小学教师来说，文献综述的要求可能不像对专业研究者那样严格，比如，不需要太全面地占有文献，只要对类似研究有一个大致的了解就行，也不需要研究者做更多的推演和论证，而是要更多地关注实践。下面是一位教师所做的关于有效教学的文献综述，相对来说，比较全面和细致。

[案例]　　　　　　　**关于有效教学的文献综述**

关于教学的有效性，不同时期，不同国家，不同研究者对其认识有很大差异。

国外关于有效教学的研究成果十分丰富，赫斯特通过课堂研究认为，有效教学最基本的条件有三：学生不仅学到了教师传授的大部分学科知识，而且学到了许多其他知识；课堂教学活动结束以后，学生还在继续研究和探讨上课内容；不是强迫学生学习，而是学生渴望学习。

美国加里·D. 鲍里奇在《有效教学方法》一书中提出了促成有效教学的五种关键行为：（1）清晰授课；（2）多样化教学；（3）任务导向；（4）引导学生投入学习过程；（5）确保学生成功率。

同时还提出了与有效教学有关的一些辅助行为：（6）利用学生的思想和力量；（7）组织结构；（8）提问的艺术；（9）探询；（10）教师影响。

联合国儿童基金会相关教育与儿童发展项目提出，有效学习，就是指进入学校的学生，能够把学校所要教授的内容学会、学懂，体验到学习成功的快乐，保证学习的质量。这就要求学校：（1）促进高质量的教和学的过程：适合每一个儿童学习需要、能力和风格的教学过程；创设主动、合作、民主、关怀不同性别学生的学习过程。（2）提供结构性的学习内容和高质量的教材、资源。（3）提升教师的能力、士气、责任心、地位及收入。（4）促进高质量的学习成果：帮助学生认识到他们需要学些什么，教会学生如何学习。

关于有效教学，中国也有不少探索。早在春秋时期，我国大教育家孔子就提出教学的有效性问题。"告诸往而知来者"（《论语·学而》）的意思是告诉你由过去可以推知未来。这里的"往"表示过去的知识、经历，即原有认知结构中的"旧"知；"来者"指未来的事情也包括尚未了解的事物，也就是"新"知。所以这句话就是阐明"新"知与"旧"知之间有密切的联系，要了解、掌握"新"知应该将它和"旧"知联系起来。"不愤不启，不悱不发，举一隅不以三隅反，则不复也。"当学生进行积极思维状态时教师才适时地诱导、引发，帮助学生打开知识的大门，端正思维的方向，达到举一隅以三隅反的目的。同时孔子还提出了循循善诱，因材施教，学思结合，知行统一，温故知新，循序渐进，叩其两端等行之有效的方法。其实，这就是对有效教学的建构。孔子明确地指出有效教学要着眼于学生的"思"，强调为学生搭设思维的跳板，让他们向更高、更远的思维层面飞跃，并较好地展现课堂中教与学、疏与密、缓与疾、动与静、轻与重的相互关系，让课堂波澜迭起、抑扬有致，多元呈现。

我国近代教育家的思想也为有效课堂教学提供了重要的理论指导。教育家陶行知先生的教育思想对课堂教学的有效性有着极其现实的指导意义。陶行知先生指出："智育注重自学"，强调学生的自主学习精神，会学习才能有创造。陶行知认为"好的先生不是教书，不是教学生，乃是教学生学""先生教的法子必须根据学生学的法子"，教师运用启发式教学方法是发挥学生主体作用的重要途径。只有尊重学生的主体地位，才能产生和谐，才能谈得上课堂教学是否有效果，才能使课堂教学目标得以有效落实，才能形成课堂合力。陶行知提出"体验、看书、求师、访友、思考"为途径的五路探讨法，指出："生活教育是生活所原有，生活所自营，生活所必须的教育"。"生活即教育，生活教育是供给人生需要的教育，不是假的教育。人生需要什么，我们就教什么"。有效教学是"人本"思想的体现，是课堂教学的出发点，是素质教育的要求。

魏书生的语文教学改革举措，是以提高"效率"为直接动力、为现实目的，促进学生自主学习的有效策略与方法。画"语文知识树"，"以使用较少的时间和精力获得较多的学习成果"；引导学生"掌握划分层次的方法"，"学生学得很愉快，提高了学习的效率"；对于被广为传诵而誉为"魏书生模式"的"六步法"，魏老师说："探索课堂教学方法，确立课堂教学类型，都是手段，不是目的，目的是提高课堂教学的效率"。魏老师多次强调，"如果真正实行民主，就可以获得许许多多的助手，得到意想不到的帮助，花费较小的力气取得比较大的效果"。追求效率，是魏老师语文教学改革的突出特征。

关于有效教学的流程、训练与巩固，江苏洋思中学提出"课堂作业当堂完成""明确课堂教学目标"，明确每一章每一节乃至每节课的素质教育目标，上课坚持用"示标—导标—测标—补标"目标教学法，大胆跳出了单纯"认知"的圈子。他们特别强调课堂"教学目标"必须素质化，在此基础上改变学生的学习方式。问题让学生自己去揭示，知识让学生自己去探索，规律让学生自己去发现，学法让学生自己去归纳，效果让学生自己去评价，从而形成了"先学后教，当堂训练"课堂教学的基本结构模式，其教学过程分为"先学'"后教""当堂训练"三个基本步骤。山东杜郎口中学提出"三、三、六"自主学习模式，即课堂自主学习三特点：立体式、大容量、快节奏；自主学习三模块：预习、展示、反馈；课堂展示六环节：预习交流、明确目标、分组合作、展现提升、穿插巩固、达标测评。"三、三、六"自主学习模式以学生在课堂上的自主参与为特色，课堂的绝大部分时间留给学生，教师仅用极少的时间进行"点拨"。他们把这种特色叫做"10＋35"（教师讲解少于10分钟，学生活动大于35分钟），或者"0＋45"（教师基本不讲）。同样在倡导有效教学的三个观点："关注生命、关注实践的教育观""主体自主发展的学生观""建构主义的学习观"。

刊登在《教育发展研究》2005年第5期上的"课程改革实验区追踪评估的最新报告"通过调查问卷、座谈等方式了解新课程有成效之处，了解到教师的课程观发生了明显的变化。教师的专业发展和课程资源开发意识增强，教师的教学观和学生观发生了很大的变化。同时，教师也正努力将课堂变成民主学习和交流的场所。学生在座谈中普遍反映，现在的课堂教学形式多样，经常开展讨论、交流和合作学习，让大家共同提高；老师们多采用鼓励性的话语，比以前和蔼可亲了；学习内容也宽泛多了，经常能够接触社会，从生活中去学习、思考。教师讲、学生听、死记硬背、机械训练、单一的接受式学习的现象减少了，学生自主学习、相互协作、主动探究等方式开始在课堂中运用。问及学生"现在学习的主要方式"，其回答中处于前三位的分别是，听老师讲课、与同学讨论交流、自己预习复习。新课程使学生的学习过程更多地成为发现问题、提出问题、解决问题的过程，成为师生、生生不断对话、交流的过程。但其存在的问题正如前面所说，部分课堂教学存在单纯追求形式的现象。调查发现，有的课堂教学虽然表面气氛活跃，学生展开了讨论、探究、合作，但是往往过于看重形式上的东西，学生并没有得到实质性的发展和提高，教学缺乏有效性。因此，要关注课堂教学的有效性，把新课程落到实处，防止课堂教学的表面"繁华"与"热闹"。

东北师范大学教育科学学院马云鹏教授在"对新课程改革实验状况的调查与思考"一文中，介绍了通过问卷调查的方法，发现教师的课堂教学观和教学实践已经开始摆脱传统课堂教学的束缚。在教师的心目中，一堂好课的标准依次为：（1）学生在情感、态度、价值观等方面有所发展。（2）学生参与广泛，师生充分交流。（3）学生自主思考，探究学习。（4）课堂气氛和谐、民主。（5）组织合理，方法灵活多样。（6）教师讲授系统、准确。（7）基础知识扎实。（8）课堂秩序井然。

我国学者叶澜也以"什么样的课才算好课"为题对这一问题进行了探讨，所谓好课就是有效教学的课。她认为"扎实、充实、丰实、平实、真实"的课就可以算是好课了。"扎实"的课是有意义的课，即学生学到了知识，锻炼了能力，在过程中产生了良好的、积极的情感体验，并激发了进一步学习的强烈需求，而且越来越主动地投入到学习中去。"充实"的课是有效率的课，首先就广度而言，对全班学生中的多少学生有效率，其包括了好的、中的、有困难的具有不同的效率。其次，是效率的高低，如果没有效率，或者只是对少数学生有效率，这都不能算是一堂好课。"丰实"的课是有生成性的课，即这样的课不完全是预设的结果，在课堂上有师生之间真实的情感、智慧、思维、能力的投入，尤其思维是相当活跃的，在整个过程中有资源的生成，又有过程的生成。"平实"的课是常态下的课，"真实"的课不是虚假与作秀的课。这些都是建立在对课的效果评价上。

浙江省平阳县实验中学的周明和华东师范大学课程与教学系邵朝友的论文《两个课堂教学有效性标准框架的启示》一文中运用比较研究的方法，把美国对于基础教育阶段最有影响的两个面向中小学教师的标准框架之一的，由罗兰·萨伯（Tharp. R.）领导的芝加哥大学"教育多样化、卓越化研究中心"（CREDE）开发的5条课堂教学有效性标准，与由夏洛特·丹尼尔森（Danielsan. C.）负责的于1996年研制的"专业实践构成框架"所划分的4个领域，22个成分，66个元素进行了比较，寻找有效教学标准的一些共性：

（1）教学以学生的进步为宗旨。教师要常常对自己的教学行为进行反思，多问问自己：我教学的目的是为谁服务的？学生在我的课堂上能学到什么？这些知识对他们的将来学习、生活有意义吗？学生的进步具体包含了哪些内容？等等。当教师把这些思想内化为自觉的意识时，他的教学实践就不会"迷失方向"。（目标意识）

（2）教师要充分地备课。备课是教学的首要环节，充分的准备才能保证备好课，备好课是上好课的先决条件。研究表明，教师授课前精心备课，事先计划和组织好教学，可以减少教师授课后用在课堂组织和管理上的时间，使教师有更多的时间用于教学。（预设意识）

（3）创建促进学习的课堂环境。常规和程序的重视、具体环境的安排、学生行为规范和要求的制定，以及良好的师生关系、生生关系是好的课堂教学之前提。良好的课堂环境包括：物理环境、人文环境。有效的日常规范使得学生花费在等待活动开始的时间、各种活动的转换时间、坐在那里无所事事的时间、从事不良行为的时间等最小化。（文化意识）

（4）鼓励学习活动的深度。学生的参与状态，既要看参与的广度，又要看参与的深度。就广度而言，学生是否都参与到课堂教学中来了，是否参与了课堂教学的各个环节；就深度而言，学生是被动地、应付地学习，还是积极主动地探究。从这点上讲，那些表面上热热闹闹，实际上没有引起学生多少认知冲突，学生思维没有恰当负荷的课不是好课。（建构意识）

（5）关注学生的学习方式。从教的角度来看，教师的教学方式决定了学生的学习方式。如果教师的教学是以灌输为主，学生的学习方式自然是被动的，所谓的探究与合作就无从谈起。而这样的教学结果往往是学生获得了知识，但不能解决实际问题，学生并没有作为研究者，却最终被异化为缺乏创造的孤立的人。（生命意识）

（6）教师的专业精神是保持课堂教学有效性的保证。美国教育部1987年的报告《是什么在起作用》中阐述道："当教师分享彼此的观念、在活动中合作、在智慧发展方面互相帮助的时候，他们的学生就能获得学术上的收益……教师协作之时，就是教学兴旺之际。"（对话意识）

西北师范大学王鉴的《课堂教学的有效性问题研究》中提出，课堂教学有效性的主要指标：所谓有效教学是指教师在通过一段时间的教学之后，学生获得了具体的进步或发展，也就是说，学生有无进步或发展是教学有没有效益的唯一指标。教学是否有效，并不是指教师有没有教完内容或教得认真与否，而是指学生有没有学到什么或学得好不好。如果学生学得不好，即使教师教得很辛苦、很认真，也是无效或低效的教学。教学是否有效，既是教师专业水平的表现，又是学生发展的基础。仅仅在知识传授上有效的教学远非真正的有效教学，有效教学的指标应该是一个多元的、综合的体系。

综上所述，关于有效教学我们有了比较清楚的认识。而"有效课堂教学"是指教师在以"学生发展为本"的理念下，通过一个教学时间段的课堂教学，运用先进的教学手段，实施科学方法，予以系统科学的评价，使学生在知识与技能、过程与方法、情感态度和价值观方面都有较高的进步和发展。"有效课堂教学"包含3个基本要素：（1）有效果（effectiveness）：从微观角度，教学效果是指学习者在达到教学目标规定的评估标准前提下，完成教学目标所规定的学习任务的数量。教学活动结果要与预期的教学总目标相一致，体现教学的目标达成度。这里的"效果"既包括直接效果，还包括间接效果；既有显性效果，也有隐性效果；既有预期效果，还有非预期效果。（2）有效率（efficiency）：所谓教学效率是指在单位教学时间内，学习者在达到教学目标规定的评估标准前提下，完成教学目标所规定的教学任务量。也就是师生双方为实现教育目标而投入的时间、精力及各种教育资源与教育目标的实现（包括学生知识、技能得到增长，身心素质得以进步、成熟，个性成长，创造力获得培养以及教师素质和教学能力有了提高）的相关度。如果用公式来表示教学效果、教学时间、教学效率三者之间的关系，即：教学效果＝教学时间×教学效率。（3）有效益：指学生有所成长，从长远的角度来看，个人的发展与社会和个人的教育发展需求持有一定的吻合度，并具有持续发展的特征。

（黑龙江省哈尔滨市南岗区继红小学关军老师撰写）

这是一篇做得相对比较好的文献综述。首先，关老师检索文献的范围比较集中，基本上都是关于有效教学的研究，文献的内容与研究者的研究问题比较契合；其次，关老师对检索到的文献内容进行了一定程度的解读，增加了很多自己思考的内容，比如在别人研究基础上，对有效教学给出了自己的定义；第三，这篇文献综述不仅有对相关理论的梳理，而且还对不同学校的实践进行了整理和分析，这些都是比较有价值的参考文献。

此外，从文献的时效性和权威性来看，这篇文献综述也做得比较好。第一，综述中所出现的大多数著作和期刊都是最近几年出现的，内容和观点都比较新，基本上能够反应目前有关"有效教学"的最新成果。第二，所选择的国内外的文献都是比较权威的作者的研究成果，比如，国外的鲍里奇的《有效教学方法》、联合国儿童基金会的关于"有效教学"的界定，都非常具有代表性。国内文献方面，关老师选择了教育经典著作《论语》、陶行知、魏书生、叶澜、马云鹏等的研究成果和观点，也具有很好的说服力。当然，这篇文献综述也有不足的地方，比如，缺乏对不同的观点进行分类和比较，不同的学者都是从哪些角度来阐述有效教学的，彼此之间有什么样的关联，对我们要建构的有效教学标准有哪些启发等，缺乏进一步的梳理和分析。另外，关老师所选择的理论和学校案例之间有脱节和堆砌的嫌疑，究竟两者是什么样的关系，如何将对理论的梳理和实践案例的分析联系起来等，都还需要进一步的拓展和深入分析。

# 第二节　提出研究假设

确定好了研究问题，意味着教师在复杂的教学情境中找到了自身所遭遇的困境和冲突，知道了自己应该在什么范围内开始行动。通过文献检索和分析，研究者也清楚了别人在相关问题上所做的探讨、已经取得的成果以及下一步的研究重点。那么，教师所选择的研究问题可能受哪些因素的影响和制约？采用何种方式来减弱或加强这些影响因素，从而出现自己希望的结果？这些问题都需要研究者在研究之前做出一定的猜想和推测，也就是对所要研究的问题提出研究假设。

## 一、何谓研究假设

研究假设是根据一定的科学知识和新的科学事实，对所研究的问题的规律或原因做出的一种推测性论断和假定性解释，是在研究之前预先设想的、暂定的理论。对各种教育问题和现象所做的且尚待证明的初步解释都属于假设性质[①]。教育研究假设就是教师根据教育教学理论和原则对所观察到的教育现象和问题做出的一种推测性的解释。

某一个教育现象或教育问题的出现，往往隐藏着许多复杂的影响因素。对于这些因素，我们不可能逐一进行研究，这样既浪费大量的研究精力，也无法得出有效的研究结论。较为科学的研究假设可以很好地避免这种盲目性，为研究指出明确的方向，帮助研究者界定自己的研究内

--------------------------------------------------

① 裴娣娜. 教育研究方法导论［M］. 合肥：安徽教育出版社，1995：104.

容，并对研究方法的选择、研究进程的设计都具有极其重要的指导作用。

　　比如，有一位教师要研究"课堂分组教学"问题，其假设是"学生之间存在很大差异，学习的过程是学生主动探究知识的过程，而目前的大班授课使教师很难照顾到不同学生的需要，无法调动所有学生的学习主动性。因此，必须改变传统教学组织形式。如果把班级分成不同的小组，让每个小组在教师的指导下主动探究，并在小组内部和小组之间进行交流和对话，就能够有效地解决大班授课的缺陷，促进全体学生的共同发展。"这一假设首先明确了研究者的研究问题和研究方向，其研究的主要任务是探讨教学组织形式与学生发展的关系。其次，指出了研究者对问题解决方案的预测，即通过分组教学来解决大班教学的缺陷。第三，指出了研究者可能要从哪些方面来搜集材料，要采用哪些方法来进行研究。教师可能会收集关于教学组织形式的材料、班级授课制的优缺点、分组教学对课堂教学效果的影响，等等。在研究方法上，可能会采取观察法和访谈法，以及测验的方法来对比分组和不分组的教学效果。第四，这一假设也预测了可能潜在的研究问题，比如小组教学如何分组才能使学生真正实现自由交流和达成教学目标等。

　　由此可见，研究假设对于研究具有极其重要的意义。但是，并非所有的假设都是好的或科学的假设，一个好的研究假设必须建立在科学的理论基础之上。比如，上面的例子中，教师的研究假设就是建立在"有教无类""学习的过程是学生主动探究知识的过程"等这样一些基本的教育教学理论基础上的。如果教师的脑海中没有这些理论，他就很难提出教学组织形式与学生发展的关系问题。所以，我们强调，要做研究型教师首先必须要在教育教学理论上充实自己，丰富自己的头脑，使自己能够对自己的教学实践保持一种高度的理性反思，从习以为常的教学现象中发现有价值的问题。另外，研究假设的表述要尽量具体明确，要简明准确。下面还会谈到如何将一个研究问题表述为一个研究假设。研究假设必须是可检验的，也就是说，研究假设对多种要素之间关系的预测可以通过研究或实践进行求证，不能通过研究或实践来求证的假设是不科学的。

需要说明的是，研究者提出的研究假设不是一成不变的。随着研究者掌握材料的增多、分析问题的日益透彻，研究者对一些问题的看法可能就会改变，因而，研究假设也会随之修改。也就是说，一个好的研究假设是在研究过程中不断完善和提炼出来的。

## 二、研究假设的表述

相对于研究问题而言，研究假设是一种更专门的、带有预测性质的表述。例如，一位教师观察到学生在受到教师关注后，学习的主动性似乎更高一些，于是，他想探究一下改善师生关系对于提高学生的学业成就是否会有很大的作用。在查阅了相关文献资料后，他发觉经常找学生聊天，与学生交朋友，对于调动学生的学习主动性、提高学业成就有很大的作用。于是，他提出了"改善师生关系是提高教师教学效能的有效途径"的假设。经过了这样的一个过程，这位教师已经从单纯的观察问题过渡到了提出研究问题、提出研究假设，最后过渡到了检验研究假设并进一步提炼研究假设。

因此，研究假设是一种肯定的表述，这种表述预测了研究的结果，或者做出了两个或多个变量之间关系的可能解释。表5给出了几个从研究问题转换到研究假设的案例（见表5）。

表5　从研究问题到研究假设

| 研究问题 | 研究假设 |
| --- | --- |
| 45人以下的班级是否比45人以上的班级更有利于学生学业成就的提高？ | 班级规模影响学生学业成就 |

续表

| 研究问题 | 研究假设 |
|---|---|
| 惩罚学生是否有助于学生改正错误? | 表扬学生比惩罚学生更有助于学生改正错误 |
| 为一个性格内向的学生分配一项班级管理任务是否能增加他与其他学生的交流与互动? | 角色扮演是促进性格内向学生与班级其他学生进行交流的重要途径 |
| 分组教学是否有助于提高课堂教学的效率? | _____<br>（读者可以仿照填写） |

确定了研究假设后，研究者可以针对自己的假设来做研究设计，包括选择研究对象、研究方法等，广泛搜集材料和证据来证明自己的假设，以得出可靠的研究结论。实际上，整个研究的过程就是检验假设的过程。

# 第三节 做好研究设计

## 一、研究设计对于教师研究的意义

任何研究都是有计划的行动，因而需要研究者对研究的每个环节事先做出精心的设计，以保证研究能够顺利、深入地开展下去。

所谓研究设计就是对研究全过程的计划和安排，包括对问题的提炼、研究对象的确定、文献的梳理和分析、研究方法的选择、时间和进度的安排、研究资源的准备，等等。研究设计既是确保研究质量的关键环节，也是促进教师研究持续深入开展的保证。科学合理的研究设计不仅有助于研究者把握整个研究的进程，而且有助于研究者合理、高效地使用研究资源。

一些人错误地认为，教师研究主要是一种反思性的实践活动，不需要遵循一定的研究程序，不需要计划和安排。这种观点过分宣扬了教师研究活动的随意性和简便性，其结果是导致一些教师在许多有价值的研究问题上浅尝辄止，也导致很多学校的教育科研一开始群情激奋、热闹非凡，但很快就因无法深入下去而偃旗息鼓。教学中的许多问题看似简单，实际上十分复杂，而且具有反复性，很多问题仅仅依靠教师的自我反思或与同伴随意性的交流都难以达到有效的解决，这就需要教师耐下心来做持续、深入的研究，对所要研究的问题提前做精心的研究设计和安排。

## 二、教师如何进行研究设计

不同类型的教育研究对研究设计的要求不尽相同。一般来说，实证性的定量研究，对研究设计的规范性和缜密性要求较高；而质的研究对广大中小学教师来说，在研究设计上的要求相对于专业研究者来说要低一些，但是，作为一种研究活动，又存在着一些比较一致的基本规范和程序。下面结合中小学教师常用的研究类型简单探讨一下如何做研究设计。

### （一）案例研究设计

教师大部分的研究活动是针对个体或少量群体发生的。比如，教师要观察某个学生的课堂行为、经常完不成作业的学生的表现、班级非正式群体中的学生行为等，研究对象比较明确和具体，这种针对单个的或少量的具体对象所发生的研究活动更适合采用个案研究设计或案例研究设计的形式。由于灵活性、便利性和使用的广泛性等特点，案例研究使得其成为教师行动研究中最常见的形式。

案例研究设计的重点是搜集关于某一教学事件的完整、详细的信息，发生了什么事、在什么样的情境下发生的、涉及哪些人、都做了什么、什么时候做的、观察到哪些变化或影响？这些信息以大量记录的数字以及对情境、事件和相关事物的粗略描述等方式呈现。

　　一般来说，案例研究开始时研究的范围比较广，搜集的数据也比较多，研究者尽可能多地搜集与案例有关的数据，同时形成研究问题、研究假设，修正研究方法，并不断剔除多余的数据和材料。案例研究设计是开放性的，随着教师研究的深入以及一些新的问题的浮出水面，教师的研究设计也需要改变，比如，采用一些新的研究方法等。案例研究设计的基本程序如下：

　　（1）确定研究对象；

　　（2）运用观察法收集材料；

　　（3）确定研究问题；

　　（4）查阅文献，提出研究假设；

　　（5）实施干预措施；

　　（6）观察被研究者的行为变化，记录观察结果；

　　（7）发现新问题，重复上述研究设计。

　　实施案例研究设计必须要注意两个基本问题。一是确定被研究者原有的水平，有学者称为"基线"①。由于案例研究大多是对学生个体的对照研究，所以，首先必须收集采取干预措施之前被研究者行为表现的数据，以反映被研究者在某种特定的条件下行为出现的特征、频率和持续时间等，并把这些数据所体现出来的特征作为观察研究效果或评价研究结果的参考。

　　比如，教师要研究一个学生总是不能完成作业的情况，对此，教师在实施干预措施前首先要准确测量并记录下这个学生完成作业的情况，包括数量和质量等，也就是确定一个基线。然后，实施干预措施，并记录学生每天完成作业的情况，包括数量和质量。如果这种干预措施能够起到督促学生完成作业的作用，就可以推断出学生的行为变化与教师所

---

　　①　Richard D. Parsons, Kimberlee S. Brown. 反思型教师与行动研究 [M]. 郑丹丹，译. 北京：中国轻工业出版社，2005：121.

采取的措施之间存在因果关系这一结论。二是要进行重复测量。人的行为每时每刻都在变化，具有很大的波动性，特别是对处于成长过程中的中小学生来说，变化更快。一两次测量很难反映出某个学生的行为特征，可能测到的恰好是该学生特殊阶段不正常的行为表现，那么，如果以此为基线来进行研究的话，就很难得出科学的研究结果。同样，在实施干预期间，也不能以一两次观察到的现象或测量到的结果来判定学生行为是否真正改变了，也要随时间的推移进行重复测量。由此可见，在案例研究设计过程中，要提高研究的科学性和有效性，就应该对被研究者进行反复和频繁的测量，这也是案例研究的一个基本要求。那么，究竟需要多少次测量才算比较合理呢？实际上，测量的次数与学生的特征有极其密切的关系。如果你观察的学生是一个变化比较大、比较快，或是情绪很不稳定的学生，就需要观察或测量的次数多一些。对于那些行为表现相对比较稳定的学生来说，观察或测量的次数就可以少一些。但不管对于什么样的学生，最少要进行三次独立和有效的观察，才能相对准确地描述出被研究者行为的"基线"，或经过干预措施后表现出来的新特征。教师在记录学生行为表现时，如果发现测量结果出现了相对稳定的数据，那就比较容易确定"基线"，以及判断干预措施是否发挥了效用。也只有在测量的结果表现出一组相对稳定的数据后，我们才能得出"干预措施与学生的某种行为存在着联系"这一结论。

　　下面，我们来看一个具体的关于案例研究的设计过程。

[案例]

　　靳老师是某城市郊区中学初二（4）班的班主任。在他班里有一位叫鹏的学生，是个有名的"捣蛋王"，学习成绩比较差，擅长做恶作剧。最近，授课教师和学生频繁地向他反映鹏在上课铃响后走进教室时总喜欢发出一种怪声或做出一些古怪夸张的动作，有时候甚至采用恶作剧的方式，经常弄得全班同学哄堂大笑，使得刚刚静下来的班级秩序大乱。为此，靳老师找他谈过很多次都没有作用。有些授课教师干脆惩罚他站在教室前面，甚至门外，但情况却并没有根本好转。每次惩罚过后，一切照旧。为此，靳老师大伤脑筋，也大动肝火，但最终还是决定与他好好谈谈。

一天下午放学后，靳老师把鹏叫到办公室，通过交流，他发现鹏似乎对惩罚并不介意，而且还觉得自己站在教室前面，受到了所有同学的关注，反而有一种沾沾自喜的感觉。

靳老师在师范大学学习时学过教育心理学，他决定通过查阅些文献来寻找对鹏这种行为的解释。美国心理学家斯金纳提出了一种"操作条件反射"理论，也就是强化理论，他认为人或动物为了达到某种目的，会采取一定的行为作用于环境。当这种行为的后果对他有利时，这种行为就会在以后重复出现；不利时，这种行为就减弱或消失。人们可以用这种正强化或负强化的办法来影响行为的后果，从而修正其行为。简单地说正强化就是奖励，负强化就是惩罚。一般情况而言，经过强化的行为趋向于重复发生，强化措施会因对象的不同而有差异，正强化比负强化更有效。

鹏是一个十分爱表现的学生，特别喜欢受到别人的关注。那么，反复惩罚过后，鹏的行为变本加厉是否由于措施不当而恰恰强化了他的行为呢？靳老师决定设计一个研究来检验自己的研究假设。

### 研究方法

靳老师决定在不告知任何教师和学生的情况下实施观察，结果发现，鹏的这种行为差不多每天都有一到三次类似的表现，这样靳老师就确定了鹏行为的"基线"。靳老师决定以这个"基线"为基础，实施干预处理。

### 研究处理

靳老师找来了其他几位教师，告诉他们不要对鹏的行为进行惩罚，暂时采取不管不问的态度，照常上课，就像什么事都没有发生一样。

### 数据采集

靳老师对鹏的行为连续观察了两周，并做了如表6的记录。

表 6　观察记录表

| 周　次 | 时　间 | 学生行为反应的次数 |
|---|---|---|
| 实施研究处理的第一周 | 周一 | 3 次 |
| | 周二 | 3 次 |
| | 周三 | 2 次 |
| | 周四 | 1 次 |
| | 周五 | 1 次 |
| 实施研究处理的第二周 | 周一 | 1 次 |
| | 周二 | 0 次 |
| | 周三 | 1 次 |
| | 周四 | 2 次 |
| | 周五 | 2 次 |

**修改研究处理**

　　很明显，在这两周里，鹏的行为发生了一些微妙的变化，从第一周到第二周的周三，他的行为频率从 3 次减少到了 1 次。但是到了周四和周五又出现了反常，行为频率开始回升。靳老师决定再找他好好地谈谈。通过访谈以及从其他同学那里了解到的信息，靳老师发现了一个比较微妙的现象。原来鹏行为的目的并不是要恶意破坏课堂秩序，也不是为了吸引全班同学的注意，而是要吸引班里某一个女同学的注意力。这让靳老师大感意外，或许这就是青春期孩子的一个典型特征，就是要在自己比较喜欢的异性同学面前展现自己，以引起她或他的关注。靳老师决定修改研究处理。为了避免误解，靳老师特意找到了包括这个女学生在内的五六位女生，告诉她们自己在做一个实验，让她们在鹏出现任何异常行为的情况下都不要注意他。在接下来的一周里，靳老师发现了一个明显的变化。

　　修改研究处理后的第三周：

| 周一 | 1 次 |
|------|------|
| 周二 | 0 次 |
| 周三 | 0 次 |
| 周四 | 0 次 |
| 周五 | 0 次 |

**观察**

靳老师注意到，在通过上面两次研究处理后，鹏不但改掉了原来的坏毛病，而且向来不爱学习的他也开始在课堂上积极回答老师的问题了，也许，他要换一种方法来表现自己，引起别人的注意了。

从这个案例中，我们可以看到案例研究设计的一般过程。靳老师发现了鹏的问题后并没有急于下结论，而是先通过理论上的思考和对前人研究结果的检索，提出了自己的研究假设——"惩罚强化了学生的错误行为"。然后，靳老师开始采用观察法来记录对鹏采取"措施"后鹏的行为反应，并搜集了一些数据。在经过两周的干预后，鹏的行为虽然出现了一些变化，但并不显著，还不足以支持一开始的研究假设。因而，靳老师再次修改原先的研究设计，重新调整变量，将其缩小到几个女生身上。继续实施控制和观察，再次记录后，靳老师发现了鹏问题行为产生的原因，从而验证了当初所提出的假设。

教师行动研究采用案例研究设计具有许多方面的优越性。

1. 实现了教师与学生的合作

案例研究设计使教师和学生能够一起研究确定应对具体问题或情境的方式，研究者与被研究者的沟通与互动使二者容易达成共识。在案例研究设计中，老师与学生共同商讨干预措施，共同监督干预之后行为发生的变化。从上面的案例来看，靳老师自始至终都与学生保持紧密的联系，并获得学生的配合。

2. 能够及时了解被研究者——学生的反馈

教师在实施调查与干预措施前，能够及时了解到学生对所研究的问题或所采取的策略的反馈，教师可以随时对研究设计进行调整，从而保证研究能够顺利地开展下去。无论是开始观察前，还是第一次观察后，靳老师发现了最初的假设并没有被充分验证，他便与学生进行了充分的沟通，并及时修改了策略。

3. 紧密联系实践

在一般大型调查研究中，所搜集到的信息往往很难反应某个个体的看法，因为，群体性研究所做的基本上是平均数分析，容易忽视个体行为。而在案例研究设计中，教师可以清楚地了解和掌握所采取的干预措施和学生的行为表现，及其相互关系。通过对学生个体的细致观察，教师可以获得关于自身教学进程、教学手段、教学效果等细致的信息，从而及时发现问题，纠正错误，达到改善教学实践的目的。

4. 时间与资源的节约性

由于案例研究所针对的问题基本上都是教师在教育教学过程中所遇到的问题，因而，研究设计的过程与教学过程是整合在一起的。这种自然状态的研究不需要占用教师太多的时间，也不会造成额外的费用开支，在人力资源上的需求也不多。除非特殊疑难的问题需要教学专家的支持，而一般性的教学问题教师都可以独立或者通过与同事合作来解决。靳老师对鹏行为的研究设计都是在教学过程中展开的，既没有占去他太多的时间，也不需要过多的资源支持，而且很好地解决了问题，根治了鹏长期以来的陋习。

## （二）实验研究设计

在教学改革的过程中，教学内容、教学组织形式、教学方法和教学手段都在不断变化，如何知道哪些变化是否有利于教学效能的提高，这就需要教师通过实验进行评价和判断了。实验研究设计就是按照一定的研究目的，合理地控制或创设一定条件，观察研究对象在实验前后的表现变化，探讨各种现象之间的因果关系，或者验证某种假设的研究设计。

实验研究设计必须满足以下三个条件。

条件之一，必须揭示变量之间的因果关系。实验研究设计涉及的变量有三个：自变量、因变量和无关变量。第一个自变量又称刺激变量，它是引起或产生变化的原因，是随研究者主动操纵而变化的变量。当两个变量A、B存在某种联系，其中变量A对变量B具有影响作用，我们将具有影响作用的变量A称为自变量。例如，研究不同的教学方法与学生学业成就的关系，教学方法就是该项研究中的自变量。在教育研究中，教材、教法、教学技术和手段、教学组织形式、教学风格、班级规模等都是常见的自变量。第二个因变量又称反应变量，它是由自变量的变化引起实验对象行为或者有关因素、特征的相应反应的变量。因变量是自变量作用于被试后产生的效应，它是一种结果变量。也就是说，当两个变量A、B存在某种联系，其中变量A对变量B具有影响作用，我们将那个被影响的变量B称为因变量。例如，研究教师课堂讲授的时间对学生学习效果的影响，其中讲授时间是自变量，而学习效果则是因变量。因变量通常与教育目的有关，如知识的掌握、能力的增进、品德及其他优良个性品质的形成等。新课程所提出的三维目标就是最常见的因变量。第三个无关变量或者叫控制变量，它是除自变量以外一切可能对研究起干扰作用的因素。无关变量是研究者不想研究，但又会影响研究进程和结果的，需要研究者加以控制的变量。无关变量并不是与实验没有关系的变量，而是要在实验中加以控制或尽量保持恒定的变量。实际上，任何实验都无法绝对排除无关变量的影响，只不过要通过控制将这些影响减少到最小程度。例如，教师要通过实验来检验学生提前预习新知识对教学效果的影响，那么，教学效果是因变量，是否预习是自变量，而无关变量有很多，比如学生的差异、教学时间和环境，教学所采用的技术手段，学生原有的知识准备、家庭辅导等，教师要通过一定的控制将这些无关变量对实验效果的影响减少到最小。

条件之二，要选定好实验组和控制组。比如，在"学生提前预习新知识对教学效果的影响实验"中，教师要选择在实验前测评成绩大致相同的两个班，一个班作为"实验组"布置预习，另一个班作为"控制组"（也叫做"对照组"）不布置预习。经过一段时间的实验后进行后测，观察测量两班学生教学效果的差异。

条件之三，要尽量控制实验条件，减少无关变量的干扰，以证明实验结果的有效性。比如在上述实验中，教师要保持两个班有一致的教学内容并运用同样的教学方法和手段，最好还能够保持教学时间和环境的大致相同。

### 1. 实验研究设计的基本程序

一个相对规范和标准的实验研究设计大致需要经过以下几个步骤。

（1）陈述研究问题并提出研究假设。教师要以简明扼要的文字来陈述自己的研究问题和研究假设。比如，某位教师要研究教学方式的改革问题，他提出的研究假设是"研究性教学比传授式教学更有利于学生对知识的掌握"。

（2）确定自变量，实施实验处理。教师根据自己的研究问题和研究假设，确定实验的自变量，然后通过改变自变量来观察和记录实验组与控制组的变化。在上述"教学方式的改革"实验中，自变量是教师的教学方式，教师在实验组实行研究性教学，而在控制组实行传授式教学。然后比较这两种教学方式哪一种更有利于学生掌握知识，也就是要验证他的假设。

（3）选择样本，确定实验单位。选择什么样的学生参与实验往往对实验效果有明显的影响，因而，选择样本非常重要。关于抽样的具体方法，在下一节关于研究方法的阐述中会有详细分析。教师选择样本后，需组成实验单位。实验单位可以是单个人、班级，也可以是一个学校或团体。

（4）确定因变量。确定因变量就是确定要通过实验来测量研究对象的哪些品质，比如学习态度、学习风格、学习能力、认知水平、思维品质、科学素养、学业成就，等等。

（5）选择实验控制方法。由于教学实验的对象是人，因而无法彻底排除很多无关变量的干扰。但若想确保实验的效度，就需要教师控制无关变量对实验结果的干扰，对实验中的许多无关变量进行控制。比如，在研究研究性教学与传授式教学哪种方式更有利于学生对知识的掌握这一问题时，教师应明确因变量是学生对知识的掌握，自变量是教师的教学方式，可能会影响到实验效果的无关变量包括学生原有的知识水平，教师的教学内容，教学选择的时间段，以及教学过程中所使用的技术手段等。教师要对上述无关变量进行控制，可以先选择两组学生，在实验开始前进行前测，以保证两组学生在原有水平上大致相当。然后，由同一位教师选择相同的教学内容在同一场所和大致相同的时间段运用两种不同的方法对实验组和控制组进行教学。当然，实验场域的选择也很重要，教师应在普通教室中来完成对两组的教学，以保证他们教学环境的一致。

（6）选择合适的实验设计类型。实验设计有很多种类型，不同的实验类型适合于不同研究目的的需要。选择实验类型首先需要考虑自身研究的目的，其次还要考虑能否控制外来因素的干扰，以较为简便地进行操作。因为，有些实验设计类型虽然实验效度比较高，但对实验的条件要求也比较严格，且程序烦琐，费时费力，不便于教师开展研究。对于哪些实验设计比较适合教师选用，下面将会专门谈到。

综上所述，教师实验设计的基本步骤可以参见图8。

```
┌─────────────────────────────────────────┐
│         陈述研究的问题并提出研究假设          │
└─────────────────────────────────────────┘
                      ↓
┌─────────────────────────────────────────┐
│          确定自变量，实施实验处理            │
└─────────────────────────────────────────┘
                      ↓
┌─────────────────────────────────────────┐
│           选择样本，确定实验单位             │
└─────────────────────────────────────────┘
                      ↓
┌─────────────────────────────────────────┐
│                确定因变量                  │
└─────────────────────────────────────────┘
                      ↓
┌─────────────────────────────────────────┐
│              选择实验控制方法               │
└─────────────────────────────────────────┘
                      ↓
┌─────────────────────────────────────────┐
│            选择合适的实验设计类型            │
└─────────────────────────────────────────┘
```

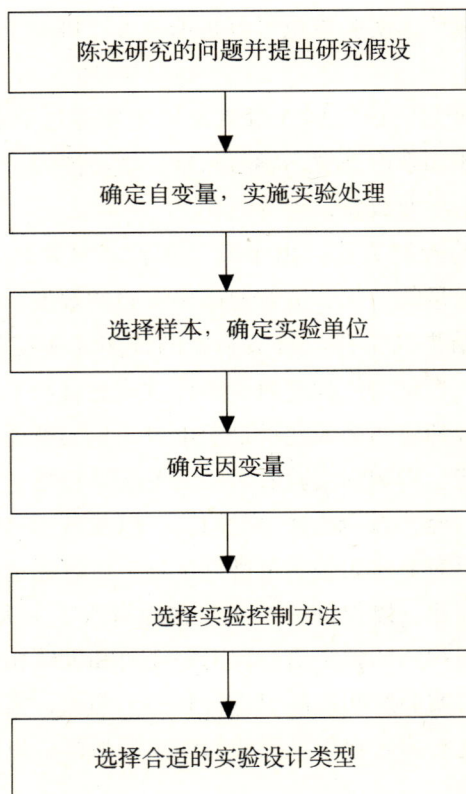

**图 8　实验设计的基本步骤**

2. 教师常用的实验设计类型

（1）单组前后测实验设计。基本程序如下。

第一步：选择实验对象；

第二步：进行前测；

第三步：控制实验环境，实施干预措施；

第四步：一段时间后，进行后测；

第五步：比较后测和前测的差异；

第六步：归纳研究结论。

单组实验操作起来比较简便，几乎所有教师都可以在教学中使用。单组前后测实验对于教师粗略了解或检验某种教学手段或班级管理方式的效果有一定的帮助。但是，由于实验控制比较差，很多无关变量无法排除在外，单组实验效果的可信性比较差，应谨慎使用。

（2）等组后测实验设计。基本程序如下。

第一步：选择实验对象，用随机的方法将实验对象分成条件相等的两个组，一组为实验组，一组为控制组；

第二步：实验组接受实验处理，而控制组则无；

第三步：实验处理后，两组都接受测评；

第四步：比较两组实验结果；

第五步：归纳研究结论。

相对于单组实验，等组实验设计能够较好地控制无关变量的干扰，信度比较高，操作起来也不太困难，是一种比较理想的实验设计。缺点是，由于没有前测，无法确定实验处理是否对不同层次的受试者有不同的效果。

（3）等组前后测实验设计。基本程序如下。

第一步：用随机方法选择实验对象，并将其随机分派到实验组和控制组；

第二步：对两组实行前测，记录前测结果；

第三步：实验组接受实验处理，而控制组则无；

第四步：实验处理后，两组都接受后测；

第五步：分别比较两组前后测结果；

第六步：归纳研究结论。

等组前后测实验，相对其他实验设计来说更为严谨、科学，也更能够有效避免无关变量的干扰，实验结果相对比较可靠。

（4）不相等组前后测实验设计。基本程序如下。

第一步：以班级为单位，将班级随机分派为实验组和控制组；

第二步：对两组实施前测；

第三步：实验组接受实验处理，而控制组则无；

第四步：实验处理后，两组进行后测，比较两组前后测的差异；

第五步：归纳研究结论。

在这一实验设计中，虽然采取随机方法分派实验组与控制组，使得两组在各方面条件未必相等，但由于都有前后测，不会太影响实验效果。尤其重要的是，这一设计是以班级为实验单位，与教学单位保持了一致，不会对教学秩序造成影响，因而也是教育研究中最常用的实验设计。

[案例]　　**关于历史课上使用多媒体的实验研究**

问题：在历史课上使用多媒体的教学效果分析。

研究假设：在历史课上使用多媒体教学比不用多媒体教学更能激发学生的学习兴趣，更有利于学生记忆历史事件。

确定自变量：教学手段，即是否使用多媒体。

取样并确定实验单位：随机从两个教学班中抽取相等数量的学生，以每一个学生为实验单位。

确定因变量：学生学习兴趣和对历史事件的记忆。

实验控制：

（1）随机抽取两个班级中的学生组成两个组，确定一个为实验组，另一个为控制组；

（2）使两组男女生比例相等；

（3）两组的教学内容相同；

（4）两组由同一个教师教学；

（5）教师在同一时间段教学；

（6）布置相同的作业量，课堂和课下练习时间相等。

实验设计类型：等组前后测实验设计。对两个组实行前测，记录成绩；对实验组运用多媒体教学，而在控制组不使用多媒体；教学后对两组实行后测；分别比较两组实验前后的差异；从记录的数据中验证假设。

### 3. 关于教育实验设计的效度问题

所谓效度就是指实验设计能够回答所要解决问题的程度，更通俗地说，就是实验设计要有针对性，不能是你期望通过实验要得到结果 A，而由于设计不当，却出现了结果 B。比如，你本来是想通过实验来应验研究性学习与传授式学习哪个更有利于激发学生的学习兴趣，可是由于实验设计不当，没有控制好无关变量的干扰，结果，不但没有找出教学方式与学生学习兴趣的关联，甚至有可能还得到"意外"的结论，比如教学内容与学习兴趣的关联等。

实验效度包括内在效度和外在效度两种。内在效度指的是自变量与因变量联系的真实程度，即研究的结果被解释的程度。它表明的是因变量的变化在多大的程度上来自于对自变量的操纵。只有当实验的结果仅仅是由于操作自变量和控制了无关因素的干扰所致，这个实验才是有效的。内在效度决定了实验结果的解释，也直接决定了实验的意义和价值，没有内在效度的实验研究是没有价值的。

影响实验内在效度的因素很多，主要包括如下几个方面。

（1）实验过程中实验环境的意外变化对实验对象产生的各种影响。比如，教师在对学生进行测验前发表长篇演说，或者鼓动，或者意外批评了学生使他们对实验测验产生了抵触情绪，等等。这些突发性事件干扰了实验环境，引起了实验对象行为的意外变化，从而使测验出来的结果不能反应实验对象的真实表现。

（2）实验对象的自我成长也会影响实验的内在效度。比如，当研究学生思维水平时，即使没有对实验对象实施干预措施，经过几个月后，学生的思维水平也会有所提高。而采用等组前后测实验设计的方式可以减少成熟因素的影响。

（3）测验本身对实验对象的影响。如果在实验中对学生进行前测，学生对试卷的内容就会有所了解，那么在相同水平的后测中，学生就不可避免地会受到前测的影响。

（4）对实验对象进行测验时所采取的工具、手段和技术，甚至测验者本人的情绪状态和行为方式都可能影响到测验的效度。所以，要在实验中尽量保持工具、手段、技术的一致性，测验者本人也应该保持比较稳定的情绪。

（5）实验对象之间的差异。学生与学生之间的差异是很大的，即使有前测，也很难使控制组和实验组的学生完全同质，因而，实验对象之间的差异就可能导致实验效果的差异。比如，当研究学生的阅读水平时，恰好实验组中有一位学生在阅读方面有很好的天赋，因此，他的成绩就可能会影响到对实验结果的解释。另外，男女学生在两个组中分配不均也会对实验结果产生影响，毕竟男女生在各方面素质的发展上存在一定的差异。

（6）实验对象的流失。在实验过程中，由于意外原因所导致的实验对象的流失也会在一定程度上影响实验效果。

外在效度是指实验结果能够在多大程度上被推广和应用，或者说，在一种教学情境中所得出的结论是否能被正确地应用到其他情境中去。影响实验外在效度的因素也很多，尤其是取样偏差，使实验对象在整体中的代表性很差，因而，即使实验的内在效度很高，得出的实验结果也很难推广到其他教学场景中去。比如，某位教师要研究运用多媒体教学对学生的学习效果产生的影响，但是，他选择的实验对象一个是重点班的学生，另一个是普通班的学生，因此，从重点班与普通班对比中所得出的实验结果就很难进行推广。

当然，影响实验效度的因素还远远不止这些，对于教育实验来说，实验对象不是客观物体，而是有主观能动性的人，因此不可控制的因素实在太多。这就要求教师对待教育实验要有正确的态度，不可盲目轻信、夸大和片面解释与应用某些实验结论，应采取批判和研究的态度，在教学中不断探索、不断求证。

### （三）调查研究设计

毛泽东同志有句名言，"没有调查，就没有发言权"。调查研究是弄清楚现实情况，搜集"民意"的重要渠道，也是决策科学化的重要前提和保证。众所周知，国家或地方政府在出台重大政策之前都要进行长时间的、大量的社会调查，以弄清楚现实情况和民众的反映，从而确保决策的实施效果。其实，不仅宏观决策如此，学校领导做决策和教师在教学过程中做决策也要充分了解教师或学生的想法，这样才能使管理和教学更有效率。过去，学校管理也好，教师教学也好，很多行动往往是凭主观感觉来决定的，很少考虑到学生的想法。所以，经常会看到一些看似科学、合理的管理和教学策略，却没有收到很好的效果，其根本原因在于没有调查，不知道自己学校、自己班级的真实情况，也不知道教师和学生的真实想法与需要。从这个角度来说，调查研究也是保证学校管理和教师教学有效性的一条重要途径。那么，如何进行调查研究呢？

调查研究设计的基本步骤包括以下几步。

步骤1，确定调查课题。

步骤2，选择调查对象。选择调查对象首先需要抽样。抽样就是遵循一定的规则，从一个总体中抽取有代表性的、一定数量的个体的过程。抽样的目的是通过一个样本得到关于这个总体的信息及一般性的结论，或从样本的特征推断总体的特征，从而对相应的研究做出结论。抽样的方法有很多种，常用的抽样方法有：（1）简单随机抽样，就是随机选择样本。（2）等距抽样。如，先将学生按照一定的规则排序，每隔一定的间距抽取一个样本。（3）分层抽样，就是在种群的不同小组内进行抽样，如从不同年级的学生中进行抽样。（4）整群抽样，就是以个体的自然组为单位进行随机抽样。作为整群抽样的单位，可以是一个班级、一所学校、一个地区等。（5）方便抽样，就是抽取那些最便利的样本，如抽取自己所教的班级。（6）滚雪球抽样，即通过消息提供人不断增加样本。

抽样过程中需要注意样本的容量，也就是抽取数量的多少。样本太小，不能代表总体；样本太大，处理起来特别困难。一般来说，如果在一个40人的班级中做一个抽样的话，25个人左右就差不多了。如果是在有1000个学生的学校中抽样，样本至少要达到250人左右。总之，抽样比例受研究问题和总体样本大小的影响，比例多大最为合适没有定论。另外，抽样还要注意样本的代表性。样本的代表性对于研究结果的有效性和科学性具有重要的意义，如果抽样不当，研究就可能毫无意义。比如，你要调查学生对学校收取某项费用的看法，结果你选择的样本全是家庭经济状况非常好的学生，那么，得出的结论可能是支持性的。如果你对学生的家庭经济状况进行分类，然后从经济收入不同类型的家庭中抽取样本进行调查，结果可能完全相反。

步骤3，确定调查方法和手段。调查方法根据调查对象的特点和样本的大小来决定，一般来说，调查的方法主要有访谈法、问卷法、测量法等，这些内容将在本书下一节内进行阐述。

步骤4，制订调查计划。确定调查的人员、时间和地点，以及调查实施的步骤和程序。

步骤5，实施调查。对所选择的对象实施调查。在实施调查的过程中应充分尊重被调查者，让被调查者了解调查的目的和用途，并对被调查者的相关信息进行保密。

步骤6，整理、分析调查资料，撰写调查报告。分析、整理调查资料是调查中至关重要的一个环节。关于资料分析的一些基本方法，以及如何撰写调查报告后面会有进一步的阐述。

### （四）课题研究设计（专题研究设计）

教学过程是一个充满了不确定性的复杂过程，教育教学的问题每时每刻都在发生，只不过问题的大小和影响的程度不同而已。有些问题，相对比较简单，教师个人可以现场解决，不需要太多的时间和资源。而有些问题却比较复杂，可能需要教师投入很多的精力进行比较系统的研究，甚至需要很多研究资源的支持。这就需要教师以课题研究的方式向学校、上级教育主管部门或其他支持性机构提出申请，要求立项进行研究。以课题立项的方式进行研究，不仅可以持续地、系统地对学校教育教学中的重大和疑难问题进行深入的研究，而且可以使更多的教师参与进来，通过课题搭建教师交流互动和共同成长的平台。

由于课题研究相对比较系统和规范，因此对研究设计要求也相对复杂一些。研究者不仅要阐述研究的价值和意义，还要详细说明研究中要解决的问题和使用何种方法来解决问题，而且对研究所需要的资源，包括时间、人员和经费都必须做出清晰和相对准确的预计。具体来说，课题研究设计包括以下几个部分。

### 1. 课题研究的缘起和意义

在这一部分里，研究者要着力阐明为何选择研究该问题，包括问题产生的背景、现状、问题的影响程度，以及研究者选择这样一个问题进行研究的动机和目的是什么，该课题对教育教学实践有何价值等。即"为什么要研究""研究什么""研究为什么"等。

### 2. 研究问题的表述和研究假设

有些课题仅仅从题目上就能看出研究者要解决的问题和研究假设是什么，也就是说，课题的名称可能就是研究问题或研究假设。比如，"小学寄宿制学生管理中存在的问题研究""教师教学风格对学生学习方式的影响研究"，等等。但是，有些研究课题，问题和假设从题目中都不太容易看出来，这就需要研究者进一步进行界定，比如，农村学校校本课程的开发研究等。

### 3. 对研究中涉及的主要概念进行界定

由于不同的人对同一概念的理解可能不太一样，而且有些概念在不同的情境中也有不同的意义，再加上很多概念还存在着广义和狭义的理解。因此，研究者正式开始研究之前，必须对自己研究中涉及的、有可能存在歧义的核心概念进行界定。否则，研究的范围就无法界定清楚，可能导致研究最终无法进行下去。所以，核心概念的界定对于任何一个研究来说都是特别重要的事情。当然，对概念的界定是在阅读很多文献的基础上，主要是从当前已经被认可的权威性观念中提炼出来的。研究者不能为了自身研究的需要而捏造或篡改概念。

概念界定有时也可以放在文献综述部分。

### 4. 文献综述

文献综述主要是说明在相关或类似问题上，别人都做了哪些研究、采用何种方法做的、有哪些主要观点、还存在什么问题、与本课题是何种关系，等等。文献综述是做好一个研究的基础，因为，只有清楚了别人研究的基本情况，才知道自己的研究方向。所谓"站在别人的肩膀上"正是文献综述的意义和价值。如何做文献综述可以参阅前面的阐述和范例。

### 5. 研究的目的与主要内容

研究目的是研究的方向，对研究有着重要的规范作用。研究者要根据自身的特点、能力和学校资源条件理性地设定研究目的，防止研究目标过高而使研究无法操作。然后，确定所要研究的主要内容，研究内容与所研究的问题要保持一致。

### 6. 研究对象

选择哪些对象进行研究，采用什么样的抽样方法，样本的大小、规模、代表性都要在研究对象部分加以说明。

### 7. 研究方法与研究工具

主要阐明采用什么研究方法和工具，以及用这些方法和工具来解决什么问题，如何使用这种方法和工具等。

### 8. 研究的程序和进度

该部分主要阐明研究怎么开展，以何种方式进行组织，如何分工，分几个阶段进行研究，每个阶段要做哪些事情等，以保证研究能够按照计划顺利开展。

### 9. 主要阶段性成果和最终成果表现形式

主要说明每一阶段的成果以及最终成果的形式，如论文、调查报告等，保证研究有结果。

### 10. 完成课题的条件分析

包括人员结构、资料设备等。

### 11. 经费预算

比较复杂的研究课题需要更多的时间、人力和财力的投入，所以，研究者应该根据研究的需要合理预算经费和支出项目。

### 12. 参考文献

研究中引用过的数据和观点的出处应在参考文献中一一列出，包括著作、报刊文章、研究报告、论文，以及其他人员所提供的没有发表的原始材料等。其目的是使别人了解你在研究中使用了哪些材料，同时也是对别人研究成果的尊重。参考文献的编目应该按照目前比较通用的编辑格式，要努力符合学术规范的要求。如何编辑参考文献，本书下一章中会作进一步阐述。

### 13. 附录

附录主要说明研究者在研究中拟采用的访谈提纲、问卷以及一些量表和测量工具等。

以上所列举的 13 个部分为课题研究设计提供了一个基本参照，代表了课题研究设计的常用模式，但这并不意味着所有的课题研究都是如此，也不一定完全按照这样的顺序来进行。不同的研究者在应对不同的研究类型时，在研究的具体步骤和设计过程中可能会有些差异，研究者可以根据研究的需要进行适当调整。

# 第四节　选择合适的研究方法

　　研究方法是促使研究有效进行、保证研究结果科学性的重要工具。没有方法的研究不仅难以发现真实问题，得不出有价值的研究结论，而且也容易使研究流于形式。但方法本身又是一门非常高深的学问，教育研究方法多种多样，普通教师不可能在一项研究中用到各种方法，这就涉及方法的选择问题了。

　　教师应该如何选择研究方法，有几条基本的原则可供参考。

　　一是要根据课题的研究目的来进行选择。目的决定手段，用何种方法来进行研究取决于研究的目的。在教育研究的各种方法中，不存在绝对的"最优方法"，某一种方法可能比较适合解决某一类问题。比如，如果你想了解学生对师生关系的看法，最好采用问卷调查法，若觉得做问卷比较麻烦，也可采用访谈法，但千万不能只凭主观感受做判断。假如你想验证一种新的教学方法是否有效，没有什么方法比实验研究更合适了。

　　二是根据研究内容的性质进行选择。不同性质的研究内容也是确定研究方法的重要依据。有的内容更适合用量化的方法，而有的内容更适合用质化的方法。如，研究学生的成绩与学生学习方法之间的关系，就可以用调查和测验的方法。而研究学生对教师教学的看法，就更适合用质化的方法来进行了，比如观察与访谈。

　　三是综合运用各种方法。一个研究并不一定就使用一种方法，特别是在一些比较大的研究中，或者是处理一些比较复杂的教育教学问题，由于研究对象和范围的涉及面很广，因而研究中可能会需要多种方法的综合运用。同时，运用多种方法，从多个角度进行研究，也是提高教育研究科学化的重要保证。

　　四是选择研究方法要充分考虑可操作性。每个研究者的偏好和学科背景，以及掌握技术手段的情况都不一样，因而，即使再好的研究方法，如果研究者自身操作有困难同样无助于问题的解决。这就要求研究者在选择研究方法时，要充分考虑研究者自身的特点，要学会"扬长避短"，尽量选择自己比较熟悉、容易操作的方法和技术。

　　下面根据教师研究问题的性质和范围，以及教师研究的需要，介绍几种最为常用的研究方法，供教师在行动研究中选用。

## 一、观察法

### （一）观察法及其种类

　　简单地说，观察就是指人们利用各种感觉器官的作用，自觉地从周围环境中感知客观事物的现象及其发展变化的特点，从而获得信息的活动。观察是人类感知世界、认识事物的一个最基本的途径，也是研究活动中最常用的方法之一。无论是自然科学研究，还是社会科学研究，都离不开对自然现象或社会现象的观察。也许大家会问，我们每天从睁开眼睛开始就一刻没有停止过对周围事物的观察，难道还要作为一种单独的方法来学习吗？

　　实际上，这种对观察的理解是广义上的，是生活化的。作为一种研究方法的观察与我们日常生活中的观察有很大不同。日常观察带有自发性和偶然性特征，或者从某种程度上说是生物性的，它漫无目的，也无边无界。因而，在日常观察中，我们所获得的也只是一些主观感受和情绪体验。而作为一种研究方法的观察，它强调的是按照预定计划，选择特定的观察场景、时间和对象，有目的地观察处于自然条件下的研究对象的言语、行为等外部表现，搜集事实材料并加以分析研究，从而获得对问题比较深入的认识。显然，观察法作为一种研究方法有着明确的目的和要求，在观察的范围、形式，以及使用的方法上都有一些规定。同时，在观察过程中，研究者不是被动的，而是带有明确的目的指向性，观察者需要在观察之前设定好观察的程序、时间、内容，并做好翔实的记录。

观察法可以分成很多类别。

从观察的情境来看，有自然观察和实验室观察。自然观察要求对被观察对象不加任何干扰和限制，在自然的情境下观察其行为表现。而实验室观察则恰恰相反，是要在人为控制的实验环境下观察被观察对象的行为表现。

按照观察者与被观察者活动的关系，又可以分为参与性观察和非参与性观察。在参与性观察中，观察者一般不暴露身份直接进入观察对象的活动情境中，与被观察者一起生活、工作，在密切的相互接触和直接体验中倾听、观看他们的言行。由于处在自然的情境中，被观察者不会产生对观察者的警惕心理，因而观察者容易获得比较具体的感性认识，而且能够深入到被观察者的文化内部，了解他们的所思所想。观察者还可以随时询问问题，随时记录被观察者的行为特征，不受时间和场所限制。非参与性观察中，观察者是以旁观者的身份来进入观察场景的，观察者通常置身于被观察者的活动之外，用自己的眼睛或在获得许可的情况下借助于录像机等仪器设备对被观察者的行为进行观察。非参与性观察的长处是，研究者可以在一定的距离范围内对研究对象进行比较"客观"的观察，操作起来也比较容易。但其弱点也比较明显。"（1）观察的情境是人为制造的，被研究者知道自己在被观察，可能受到比参与性观察更多的'研究者效应'的影响；（2）研究者较难对研究的现象进行比较深入的探究，不能像参与性观察那样遇到问题时立刻向被观察者提问；（3）可能会受到一些具体条件的限制，如因观察距离较远，看不到或听不清正在发生的事情。"①

再看根据观察者的准备情况，还可以将观察分为结构式观察和非结构式观察。结构式观察有明确的目标、问题和范围，有详细的观察计划、步骤和合理的设计，能使研究者获得较为翔实的资料，便于对观察的结

① 陈向明. 教师如何作质的研究 ［M］. 北京：教育科学出版社，2001：123.

果进行系统研究，这种观察常用于对研究对象有较充分了解的情况下。而非结构式观察相对比较灵活有弹性，但获取的材料不系统、不完整。这种观察多用于探索性研究，适用于对观察对象不甚了解的情况下。

从观察是否使用了辅助工具或特殊技术手段，还可以将观察分为直接观察和间接观察。

需要说明的是，各种观察方法各有其使用的条件和优缺点，且相互联系、相互补充。教师在进行观察时应该根据研究的目的和观察对象的特征而有选择地使用。

### （二）教育观察研究实施的程序

根据桑代克及哈根的论述，观察研究的步骤如下①。

（1）选择所要观察的行为的某一方面；

（2）确定所要观察的范围，最好列出表格；

（3）训练观察人员；

（4）量化观察；

（5）发展可行的记录程序，目的是使观察进入科学化范围。

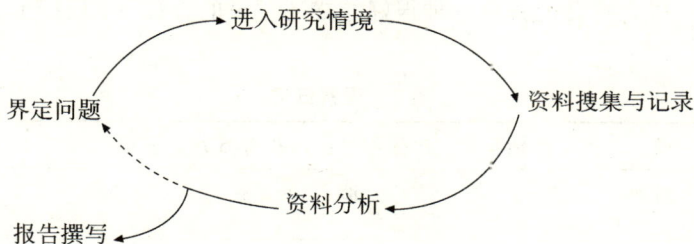

**图9　观察研究的循环模式**

从图9可以看出，观察研究是一个循环模式，主要包括以下几个步骤。

---

① 裴娣娜. 教育研究方法导论［M］. 合肥：安徽教育出版社，1995：189.

步骤1，界定研究问题，明确观察的目的和意义，即明确为什么观察和如何观察的问题。

步骤2，编制观察提纲。如同前面所述，观察是一种有计划的活动，因而在观察之前要明确以下几个方面的基本问题①。

（1）谁？（有谁在场？他们是什么人？）

（2）什么？（发生了什么事情？在场的人有什么行为表现？）

（3）何时？（是什么时候发生的？持续了多久？）

（4）何地？（在哪里发生的？这个地点有什么特色？）

（5）如何？（这件事情是如何发生的？事情诸方面关系如何？）

（6）为什么？（为什么这些事情会发生？促使这些事情发生的原因是什么？）

步骤3，实施观察，收集并记录所观察的内容。教师在进入场景实施观察之前，应该选择好合适的地点，并充分了解学生，尊重学生，与学生建立一种良好的信任关系，消除彼此的陌生感和防备心理，以便记录到学生行为的常态。

记录的方法有很多种，比如，可以采用描述记录的方法，既可以把所见所闻原本不动地记录下来，也可以把自己认为有价值的行为表现记录下来。写观察日记就是一种很好的描述记录的方法（如表7）。

表7　观察日记

| 观察对象：丁亮　性别：男　出生年月：1996 年 6 月　班级：初二（3）班 | |
|---|---|
| 场景1 | 时间：　　　　　　　　　地点： |
| 场景2 | 时间：　　　　　　　　　地点： |
| …… | |

---

① 陈向明. 质的研究方法与社会科学研究 ［M］. 北京：教育科学出版社，2000：238.

有时候，教师的观察带有很强的目的性，只希望记录特定时间段或特殊事件中学生的行为表现，因而也可以采用时间取样（参见表8）或事件取样（参见表9）观察的方法。比如，教师要观察一年级学生在上课开始时的10分钟和下课前10分钟的行为表现，或者观察小组活动时学生参与讨论的情况等。

**表8　儿童"捣乱"行为————一种时间取样的记录方法**

| 序　号 | 类　别 | 行为表现 |
|---|---|---|
| 1 | 粗鲁行动 | 离开位置、站起来、走动、跑动、蹦跳、摇动椅子 |
| 2 | 不规范坐姿 | 跪在椅子上、坐在脚上、横躺在课桌上 |
| 3 | 侵犯他人 | 投掷、推、撞、拧、拍、戮及用东西打其他同学 |
| 4 | 扰乱他人 | 抢夺他人东西、破坏他人物品 |
| 5 | 说话 | 和其他同学讲话、喊叫老师、唱歌 |
| 6 | 叫嚷 | 哭闹、尖叫、咳嗽、吹口哨 |
| 7 | 噪声 | 发出咯咯声、撕纸、鼓掌、敲击书桌 |
| 8 | 转方向 | 把头和身子转向他人、向别人显示东西 |
| 9 | 做其他事 | 玩弄东西、解自己鞋带等 |

**表9　学生争吵的过程————一种事件取样的记录方法**

| 过　程 | A学生与B学生的争吵事件 |
|---|---|
| 争吵时间 | |
| 争吵的场所 | |
| 争吵时的行为 | |
| 争吵结果 | |
| 争吵后果（其他同学反应） | |

还有一种观察记录的方法对教师也很有用。当教师要观察学生的某

一特定行为与另外一种行为的关系，或是核对某种行为的出现与否时，常会用到行为核对表。具体做法是，先制定表格，列出观察的项目，然后在表格上列出每个观察项目的具体要求，当出现与观察项目对应的行为时，就在该项上划"√"。比如，教师观察6岁儿童对图形的辨认能力就可以用下面这张核对表（如表10）。

**表10　6岁儿童对图形理解的行为核对表**

| 儿童姓名　　　　性　　别 | 记录情况　　　　　记录者 | | |
|---|---|---|---|
| 观察内容：辨认图形 | 能 | 不能 | 日期 |
| 正方形 | | | |
| 长方形 | | | |
| 三角形 | | | |
| 椭圆形 | | | |
| 圆形 | | | |
| 菱形 | | | |
| …… | | | |

　　步骤4，分析资料，得出结论。通过观察所收集到的资料往往比较多，也比较乱，是不能直接说明问题的。观察结束后，对收集到的资料进行整理和分析是观察研究中最为重要的一环。资料分析的重点在于对资料进行诠释，也就是说出研究者对事物、事件或人物关系的理解。但是，这种诠释不是研究者主观的理解，必须尽可能客观地反映被观察的事物、事件或人物关系的状况。观察研究的目的，就是要求观察者去发现被观察对象如何看待事物、如何定义情境以及这些情境对被观察对象所具有的意义，而不是为了阐述自己个人的观点。简单地说，就是要力求客观。那么，如何尽量保证通过观察得出的结论真实有效，这就需要在资料分析的过程中采用客观和适当的方法。目前，常用的资料分析方法就是定性分析和定量分析，前者注重描述、归类、比较，从逻辑分析

的过程中概括和抽象出一般理论。后者注重以数量说明问题，通过对观察资料进行数量化的整理来得出一般结论。比如，一个教师在观察学生主动性的过程中，从课堂记录的材料来看，某一学生在课堂中举手的次数达到了 10 次，高于班级平均举手次数 4 次，因此，我们可以判断出这个学生在课堂中的学习主动性高于其他学生。

总之，通过观察法进行研究，能够使教师很好地了解真实的教学场景"是什么"或"有什么"。但是，由于受观察时间和情境的限制，在观察对象比较多的情况下应用起来很困难。同时，观察研究的取样小，资料琐碎，得出的结论往往只具有个案意义，不具有普遍意义，要谨慎推广。另外，观察研究受研究者本人的因素影响比较大，不同的教师由于其价值观、教育观和学生观的不同，观察的结果差异往往也较大。所以，要把观察法与其他一些方法结合起来使用，以避免这些主观因素的影响，提高研究结果的客观性。

## 二、访谈法

观察法主要是通过研究者的眼睛来了解教学过程的真实场景，除了参与性观察外，观察者与被观察者之间处于相对分离的状态，观察者通过观察所获得的信息是单向的、片面的，很难了解和掌握事件背后深层次的原因。很多情况下，只有通过与学生的交流才能更深入地了解一些隐藏在现象背后的东西，这就需要通过访谈来实现了。

其实，访谈对我们来说并不陌生，生活中的访谈随处可见。当你想听听某个人对某件事情的看法而与其进行交流对话，实际上就是一种访谈。访谈更是新闻采访中最常用的方法，比如中央电视台的《焦点访谈》《新闻调查》等，主要是通过记者对当事人的访谈来了解事情的来龙去脉。

教学过程中运用访谈法比运用观察法更容易了解到学生的所思所想和情绪反应，了解到他们对同一教学事件的看法，甚至是隐藏在他们内心深处的一些真实想法，从而使教师的教学真正做到有的放矢、因材施教。但是，作为一种研究方法，访谈与日常生活中的交流还是有很大不同的，在具体操作过程中，需要遵循一些特定的程序和规则。

### （一）访谈法的主要特点与类型

通俗地说，"访谈"就是研究者"寻访"被研究者并与其进行"交流"的一种活动。它具有以下几个方面的特点①。

（1）了解访谈对象的所思所想，包括他们的价值观念、情绪感受和行为规范；

（2）了解访谈对象过去的生活经历和他们耳闻目睹的事件，特别是事件发生的过程；

（3）从访谈对象的角度获得对研究现象的多种描述和解释；

（4）事先了解访谈对象的文化规范，如哪些问题是敏感性问题，对此，研究时需要特别小心；

（5）帮助研究者与被研究者建立关系，使双方由感觉陌生到彼此熟悉；

（6）使访谈对象感到更加有力，因为自己的声音被听到了，自己的故事被公开了，因而影响到他们对自身文化的解释和构建。

访谈有很多不同的方式。从访谈的准备情况来看，可以分为结构性访谈和非结构性访谈。结构性访谈一般对访谈过程有比较严格的控制，属于正式的访谈形式，对访谈前的计划、访谈的对象、访谈的问题等都有比较明确的规定。而非结构性访谈则比较随意、自由，访谈的形式也比较多样，属于开放性的交流形式，访谈者通常没有固定的问题，在访谈过程中可以根据情况随机应变。教师行动研究中的访谈基本上属于非结构性访谈。当然，访谈的对象并不一定是个人，有时候也可以对多人同时进行访谈，还可以对一些需要深入讨论的问题进行重复访谈。

---

① 陈向明.教师如何作质的研究［M］.北京：教育科学出版社，2001：69－70.

### （二）如何进行访谈

1．设计好访谈提纲

在教师的开放性访谈中，虽然给予访谈对象较大的表达自由，但是研究者要想在较短的时间内了解到自己想要知道的信息，在访谈之前就应该做一些准备工作，特别是编制访谈提纲（见表11）。访谈提纲的编制是对要访谈的问题做一个粗线条的归纳，列出研究者想要了解的一些主要问题。比如，如果你想访谈一位校长，了解该校发展中的问题和校长的想法，你就可以在访谈提纲中设置如下问题：

（1）请您介绍一下学校发展的历史与现状。

（2）学校当前遇到哪些主要问题？

（3）您对学校的下一步发展有何想法？

（4）未来的工作重点您准备放在哪里？

列出这样一些大的问题，既有利于研究者在访谈前做到心中有数，也有利于顺利进入访谈。通过这些问题，访谈者能够大致了解到学校的基本状况。至于其他一些细节问题，可以在访谈过程中随着访谈对象的陈述逐步推进。也可以在访谈结束后，把相关问题进行重新整理，再做一次或两次深度访谈。一般来说，要对一个问题进行深入的探讨，访谈的次数至少应该达到三次，而且一次比一次深入细致。

#### 表 11　访谈记录表

| 访谈对象 | | 性　别 | | 年　龄 | |
|---|---|---|---|---|---|
| 访谈时间 | | 地　点 | | 访谈者 | |
| | 第一次 | 第二次 | 第三次 | …… | 备　注 |
| 访谈缘由 | | | | | |
| 谈论问题 | | | | | |
| 访谈内容 | | | | | |
| 结果分析 | | | | | |

## 2. 与访谈者沟通和协商有关事宜

访谈与观察不一样，需要访谈者高度配合，因此，研究者争取访谈对象的合作非常重要。否则，在访谈对象不情愿的情况下进行访谈，很难获得真实有效的信息。从另一个方面来说，不征求访谈对象的意见就直接进行访谈也是对访谈对象的不尊重。研究者在访谈之前应该向访谈对象说明访谈的目的和大致内容，并就访谈的时间、地点和形式进行协商。尤其是当研究者要对访谈内容进行录音或录像时，一定要事先获得访谈对象的同意。与访谈对象进行沟通和协商是很必要的，特别是教师作为访谈者，这一点尤为重要。因为，在很多教师眼中，访谈学生是不需要事先通知的，可以随时随地进行，一般不会太多考虑学生个人的感受。这样就很容易造成学生对访谈的抵制，难以了解到学生的真实想法。所以，教师在对学生进行访谈前，要重视与学生的沟通和协商，并在访谈中尊重学生的想法。

## 3. 创造轻松的访谈氛围

访谈的实践表明，创造良好的访谈气氛对于访谈的效果影响很大，而要做到这一点，对访谈者的技巧要求比较高。第一，选择好访谈的场所，不要在引起访谈对象紧张或烦躁的地方进行访谈。比如，教师对学生进行访谈最好不要在学校办公室进行，这样会令学生感到紧张。第二，访谈者不能把自己摆在高高在上的位置，要保持与访谈对象的平等，包括访谈者的坐姿、语气以及与访谈对象的距离等都是非常重要的。第三，访谈者在开始访谈时不要直奔主题，最好从聊天或一些比较轻松的生活话题开始切入，等访谈对象消除了紧张与戒备心理后，再过渡到访谈问题上来。

## 4. 尽量使用开放型问题

访谈的问题一般有两类，一类是开放型问题，另一类是封闭型问题。开放型问题指的是在内容上没有固定的答案，允许访谈对象做出多种回答的问题。比如，你为什么作业总是不按时交来？你对语文老师的教学有什么看法？等等，这些问题通常以"什么""如何"和"为什么"之类的词发问。封闭型问题要求访谈对象必须在提供的答案中进行选择，要么是要么否，或者从 A、B、C、D 中选择。比如，你对这次班级活动满意吗？你喜欢上英语老师的课吗？等等。显然，封闭型问题在很大程度上带有提问者个人的意见或偏向，访谈对象几乎没有发挥的空间，很难使访谈深入下去。而开放型问题由于没有固定的答案，访谈对象可以根据个人的感受和理解，畅所欲言，有利于访谈者收集到更多的研究信息。所以，访谈者应在访谈中尽量使用开放型问题。

5. 学会倾听

在访谈过程中，访谈者虽然要善于"问"，但"听"也非常重要，从某种程度上来看，"听"比"问"更重要。访谈者要学会用心去倾听访谈对象的表述，要善于积极倾听对方的言说，不要随意打断对方的表达。访谈者在访谈时不可目光游移，心不在焉，而要用眼神与对方进行沟通，让访谈对象感觉到你一直在全神贯注地听他言说。同时，要把访谈对象所表达的关键信息及时、准确地记录下来。（参见表 12）

表 12  有效倾听的 10 个要点①

| 有效倾听的方法 | 消极的倾听者 | 积极的倾听者 |
|---|---|---|
| 1. 找出有趣的领域 | 不听"枯燥"的内容 | 适时自问："这对我有何意义？" |
| 2. 对内容做出判断，而不是放弃 | 如果对方表达方式乏味，拒绝倾听 | 根据内容做判断，不在意表达不当 |

---

① 陈向明. 在参与中学习与行动——参与式方法培训指南（上册）［M］. 北京：教育科学出版社，2003：220.

续表

| 有效倾听的方法 | 消极的倾听者 | 积极的倾听者 |
|---|---|---|
| 3. 控制情绪 | 容易与对方争辩 | 不下结论，直到完全理解为止 |
| 4. 听取观点 | 听取事实 | 听取中心主题 |
| 5. 善于变通 | 做详细笔记，且只使用一种方法 | 做少量笔记，视说话人特点使用多种方法 |
| 6. 努力倾听 | 假装注意 | 非常努力，展现出有活力的体态 |
| 7. 避免分心 | 容易分心 | 懂得如何专心，容忍不良习惯 |
| 8. 训练心智 | 寻找简单资料，抗拒复杂资料 | 接纳密集复杂的资料 |
| 9. 开放胸襟 | 只认同支持自己想法的信息 | 在形成看法之前考虑不同意见 |
| 10. 利用事实思考，因为思考比说的速度快 | 遇到说话慢者思想容易开小差 | 挑战、预期、摘要、权衡证据，听取言外之意 |

### 6. 及时回应

访谈过程中，访谈者不仅要提问题、认真地倾听访谈对象的陈述，而且还要适当地做出回应，将自己的态度和意向及时传递给访谈对象。适当和及时的回应既表达了对访谈对象的尊重，也说明访谈者一直在倾听，又可以使访谈者有效地把握访谈的节奏和主题，不至于出现太多无关的陈述而浪费了时间。回应的方式有很多种，可以采用"嗯""是的""的确如此""很好"等表示认可的语言，也可以采用点头、摇头、微笑、皱眉或赞同、疑惑的目光等非语言形式表示对访谈对象观点的赞同或疑惑。有时候，也可以采用"是吗？""真是这样吗？"等一些疑问词来表示访谈者对谈话内容很感兴趣，但又没有完全听懂，希望访谈对象继续说下去。还可以采用重复访谈对象的话和总结访谈对象所表达的意思的方式来进行回应。一个成功的访谈者并不总是按照访谈提纲的问题逐一问下去，也不是一言不发地倾听访谈对象的诉说，而是要适时回应，不断拉近与被访者的距离，使访谈对象能够坦诚地说出自己的所思所想。访谈中，对于访谈者来说要尽量避免对访谈对象的观点进行借题发挥和评价，尤其不可在有不同认识的地方进行争辩，否则，会终断与访谈对象的交流。

### 7. 适当追问

访谈者要真正深入了解访谈对象的观点和想法，深挖事情发生的根源和发展过程，全面了解事件的来龙去脉，适当追问是非常必要的。追问的一个基本原则是以访谈对象的语言为线索，进一步提问。比如，我们在访谈一位教师关于如何看待学校评价制度的问题时，这位教师在讲到当前学校使用学生期末考试成绩和中考成绩作为衡量教师业绩的主要标准有失公平时，提到了一个"发展性评价"的概念。这时候，访谈者发现教师提出了一个课程改革中所倡导的新的评价方式，于是进一步追问到："您刚才提到了发展性评价，这是一个很有新意的想法，您能谈谈您对发展性评价的理解吗？"在访谈对象阐述了"发展性评价"的含义后，还可以继续追问，"学校应该如何实施发展性评价？可以采取那些具体措施？"等等。这样就把问题一步一步地引向深入。但是，追问也应该掌握"度"的问题，不能在访谈开始阶段就反复和频繁地追问，这样会让访谈对象感觉到有压力。访谈者要善于把握时机，在访谈对象情绪比较高昂、对一些问题有比较深入的理解时进行追问，才会取得良好的效果。

### 8. 做好访谈记录

访谈基本上都是现场性的，许多信息稍纵即逝。即使有时候，在征求访谈者同意后可以进行录音，但事后再进行全面的录音整理也是一件非常耗费时间的事情，且难以还原到"现场"。所以，访谈者应该及时、准确地记录访谈对象所陈述的关键信息。

### 三、问卷调查法

访谈法需要很多时间，同时也容易受到访谈者和访谈对象主观情绪的影响，当需要扩大调查范围和得到一些更加客观化的结论时，访谈法就难以适应研究需要了。比如，教师或学校管理者想调查所有学生对学校即将实行的一项新的管理制度的看法时，就不可能进行一一访谈。为了弄清楚大部分学生的想法，这类问题往往会采用问卷调查的方法，也就是以书面提出问题的方式搜集信息。问卷调查法相对比较标准化，节省时间、经费和人力，调查范围广、效率高，且具有很好的匿名性，还可以避免偏见。另外，问卷调查材料也便于整理归类和统计分析，容易得出一些量化的结果。

问卷调查一般有封闭式、开放式和综合型三种类型。封闭式问卷，也就是事先列出问题的可能答案，只允许调查对象在问卷提供的答案中进行选择，有点类似于标准化考试中的单项选择和多项选择题。而开放式问卷的回答却没有固定的答案，调查对象可以根据自己的情况自由作答，可以是填空式，也可以是问答式。开放式问卷一般常用于调查学生对学校管理、教师教学，以及对学习和生活的态度等一些比较深入或不便于归纳答案的问题。综合型问卷就是将上述两类问卷结合在一起。实际上，综合型问卷也是调查问卷的主要方式。因为，对于任何一个研究来说，都存在一些无法把握和无法预测的因素，这样的一些问题只能让调查对象自由回答。但这类问题数量不能太多，要将封闭式与开放式相结合，在一套综合型的问卷中，开放式的问题通常放在问卷的后面。问卷调查的成败取决于问卷的编制，因此，教师掌握问卷编制的一些基本原则和方法是实施问卷调查的前提。

#### 1. 简单问卷的编制

不管哪一种形式的问卷，从结构上看，都应该包括指导语、问题和结束语三个部分。指导语中通常会说明问卷调查的目的、填答的基本要求等。

[案例]　　　　**关于教师课堂教学情况的调查问卷**

**指导语**

同学，你好！我们每天都坐在教室里听老师上课，与老师朝夕相处，对老师的课堂教学有清晰的感受。请你根据本学期实际情况，对教你们_____课的_____老师进行客观的评价。你不用写自己的姓名，没有人会知道哪份问卷是你填写的，请放心写出你的真实情况和感受。此调查不是测验，因此回答无所谓正确与错误。请你独自回答，不要与他人商量。在回答之前请看清指导语，如有疑问请向负责人提出。问卷的所有信息只用于研究，我们将严格保密，敬请放心。

谢谢你的合作！

你所在的年级：_____　　　　你的性别：□男 □女

问题部分是问卷的核心内容，问题设计的恰当与否直接决定了调查的质量。从学术角度来说，问卷编制是一项十分严谨和复杂的工作，它不但需要研究者对所研究的问题有着深刻的洞见，而且还需要研究者掌握问卷编制的一些技术和技巧。通常，一套问卷题目的设计需要经过试测、重测或再测来检验问卷的效度和信度，只有效度和信度达到了规定的阈限，试卷才是有效的。但是，对于中小学教师来说，作为小范围了解学校和课堂问题的需要，实际上在编制问卷上并没有如此严格的要求，只要了解一下大致的要求即可。

一般来说，教师在设置问卷的问题时，应注意以下几个基本方面。

（1）除了少数几个要求提供学生班级、性别等背景的题目外，其余题目都要与研究问题和研究假设直接相关。

（2）由于填答问卷的人基本上是中小学生，因此，题目表达一定要清晰，千万不要使用一些学生看不懂的学术语言和"行话"，避免学生产生误解。比如，当你要在学生中调查学生学业负担的情况时，就不要在问题中直接出现"学业负担"的概念，而是把它转化成"上课时间""作业量"等学生都能看得懂的概念来表达。

（3）问卷中的每一道题目都只问一个问题，不可同时问两个或两个以上的问题。比如，"你通常是在家做作业，并且有父母的辅导吗？"等，这种题目不符合问卷设计的要求，可以将其拆成两个问题。

（4）注意不要在问题中表露出编制者的个人喜好或倾向性。比如，"你赞同在学校放松管理，甚至认为管理会损害青少年的道德发展吗？"

（5）关于数量性的问题，最好不要使用平均数。比如，"你父母外出打工时，平均每周给你打电话多少次？"而如果把它改成"上一周，你父母给你打了几次电话？"这样就比较便于学生作答。否则，如果经过平均计算，调查的数字就有了"水分"。

（6）问卷的题目不要让人感觉有压力。比如，"你觉得学数学很困难吗？"

（7）问问题时，最好不要使用否定或双重否定。比如，"你不喜欢下面的哪一种活动？"

（8）问题越短、越通俗、越简略越好。

（9）问题的答案选项应该是可以穷尽的，选项之间应该避免重复和交叉。如果答案无法全部列举出来，那么在列出了主要答案后，可以写上"其他"作为一个选项。

比如，你放学后的主要活动是（　　）。

A. 做作业　　B. 上网　　C. 看电视　　D. 参加体育活动

E. 其他

以上要求，看似十分烦琐，但理解起来并不困难，且对于问卷编制来说十分重要。不管什么要求，其目的都是为了更好地契合研究主题和方便调查对象作答。

2. 问题的表现形式

问卷中的问题一般以下面几种形式出现。

（1）填空式

比如，你最喜欢的老师是＿＿＿＿＿＿。

（2）是否式

比如，上个学期，我每天都记日记，从未间断过。

A. 是　　　　　B. 否

（3）多项单选式

比如，你最喜欢的球类运动是（　　）。

A. 篮球　　　B. 足球　　　C. 乒乓球　　　D. 羽毛球

E. 网球　　　F. 其他

（4）多项限选式

比如，从下面的选项中选出两个答案。

当你学习上遇到困难时，你通常会向谁求助？

A. 同学　　　B. 老师　　　C. 父母　　　　D. 其他

（5）排序式

请将下面所列的电视节目，按照你喜欢的程度进行排序，将序号写在前面的括号内。

（　）人与自然　（　）科学探索　（　）动画片　（　）电视剧

（　）广告　　　（　）心理访谈　（　）道德观察

（6）表格式

下面是一些题目，请在最符合实际情况的答案上划"√"。

| 题　号 | 题　目 | 非常不符合 | 比较不符合 | 比较符合 | 非常符合 |
|---|---|---|---|---|---|
| 1 | 当我没答对问题时，老师也会鼓励我 | | | | |
| 2 | 老师总是看不到我的进步 | | | | |
| …… | …… | | | | |

问卷调查虽然相对比较客观，容易量化，但由于对问卷编制的技术有一定的要求，且对调查对象的态度和认识水平都有一些要求。所以，问卷填答的质量仍然会受到个人因素的影响，研究者不要过于依赖问卷调查的结果，最好与其他方法结合使用，这样会使研究结果更客观一些。

## 四、测量调查

测量调查也是教师在行动研究中经常用到的一种方法。比如，教师上完了一个单元后想通过自编一套试卷来检查一下学生掌握的情况；或在学期结束时，学校要通过考试来评价授课教师的教学质量等，都是应用测量调查的例子。

所谓测量调查就是根据某种规则和尺度，把所要观察的教育现象或教育对象的属性予以数量化的活动过程。测量可以分成很多类别，比如智力测量、能力倾向测量、人格测量和学业成就测量等。也可以分成多种层次，比如定类测量、定序测量、定距测量和比率测量等。中小学教师常用的测量是有关学生学业成绩的测量，因此，本部分只简单地阐述一下如何对学生进行学业成绩的测量。

测量的关键是选择测量工具。教师在日常教学中对学生所使用的测量工具基本上是试卷。当然，很多时候，我们可以从其他书籍和资料中找到一些现成的试卷，但如果想要了解自己真实的教学效果，自己编制试卷是最好的办法。教师在编制试卷的过程中，通常要考虑以下几个重要指标。

一是效度问题。效度是测量的准确性和有效性，也就是测量的结果与所要达到的目标两者之间相符合的程度。比如，你要检验学生的推理能力，结果，试卷中所设置的题目都是记忆性的，学生只需要通过回忆就能做出来，那么，这样的试卷测验效度就不高。另外，测量的效度所反应的是对某一目标准确而有效的测验，对其他目标就不一定准确有效。比如，你如果要测量的是学生历史方面的知识，试卷的回答就不能太多地受到学生语文水平的干扰，否则，就变成了检测学生语文水平了，这样就使测验偏离了原来的目标。

二是信度问题。信度是指测验所得分数的稳定性和可靠性程度。一道试题经过多次测验，测验的结果是一致的，而个人在数次接受同一测验时，获得的分数近似相同，那么，我们就可以说这样的测验信度很高。也就是说，在没有对学生进行与试题相关的训练的情况下，在不同时间和不同场所对学生进行测验，测验结果不变或变化不大。

三是难度。试题的难易程度是反应测量结果有效性的又一个指标。教师在编制测验试卷的过程中，必须把握好试题的难易程度，太难或太易都无法检测到学生的真实情况。难度的计算方法如下：

客观题的难度估计：$P = \dfrac{R}{N}$（$P$ 为难度指标，$R$ 为通过试题的人数，$N$ 为总人数）

主观题的难度估算：$P = \dfrac{X}{K}$（$P$ 为难度指标，$X$ 为某题平均分，$K$ 为某题满分值）

整套试卷的难度 = 试卷的平均分/卷面满分

四是区分度。区分度是指试题对不同水平考生加以区分的能力。区分度高的试题，对被试者有较高的鉴别力。区分度低的题目，不同水平考生的得分无规律或差不多。区分度的计算方法很多，比较简易的办法是将所有学生的卷面分数从高到低进行排列，以分数较高的一半（或1/3）的学生在某题上的答对比率减去分数较低的一半（或1/3）的学生的答对比率，即为某题的区分度。以公式表示如下[①]：

$$D = P_h - P_L$$

$D$ 为某题的区分度；$P_h$ 为高分组学生在某题上的通过率；$P_L$ 为低

---

① 杨小微. 教育研究的原理与方法［M］. 上海：华东师范大学出版社，2002：170 – 171.

分组学生在某题上的通过率。$D$ 值越大，说明该题的区分度越高。

关于测量调查试题的编制方式和答案的编排方式，以及相关的统计方法，许多关于教育测量的书中都有比较细致的介绍，此处不再赘述。

## 五、比较研究

比较无处不在。日常教学实践中，我们总喜欢把一些学生与另外一些学生进行比较、将一个班与另一个班进行比较、将一种教学方法与另外一种教学方法进行比较等。比较是人们认识、区别和确定事物关系的最常见的思维方法，正如古罗马著名学者塔西陀所云：要想认识自己，就要把自己同别人进行比较。

比较作为教师行动研究的一种方法，贯穿于教师研究的全过程。比较研究是根据一定的标准，对两个或两个以上有联系的事物进行考察，寻找其异同，探求教育和教学规律的一种方法。教师在研究中广泛使用比较法对于教师深入认识事物的本质，更清晰地发现自身的长处与问题，并向他人取长补短有着重要的作用。实际上，很多情况下，我们不知道自己所存在的问题，正是缘于我们对自己的不了解，即所谓"不识庐山真面目，只缘身在此山中"。

比较的维度可以有很多种，既可以做单向比较，也可以做综合比较；既可以做横向比较，也可以做纵向比较；既可以求同比较，也可以求异比较，等等。教师可以根据自己研究问题和研究对象的特征，选择合适的比较维度。

比较研究在具体实施过程中并没有一个统一固定的模式，但仍然有一个基本的操作步骤。美国比较教育学家贝雷迪（G. Z. F. Bereday）认为，比较法的实施一般可以分成四个阶段。第一个阶段是描述。这是比较研究的开始，就是要把比较对象有关教育的情况尽可能周密、完整、客观地描述出来。可以通过收集相关文献资料和实地考察来实现。第二阶段是解释。主要说明"为什么"会是那种情况，要提供对这些现象的解释。第三阶段是并列。从严格的意义上说，比较研究从这一阶段才真正开始，前面都是搜集材料的阶段。在这个阶段，首先是把前一个阶段里已描述和解释过的教育事物进行分类整理，并按照可以比较的形式排列起来；然后确定比较的格局，并且设立比较的标准；最后进一步分析资料，提出比较分析的假设。第四阶段是比较。对并列阶段提出的假设进行验证，然后得出一定的结论。

贝雷迪关于比较研究阶段的划分为比较研究确立了一个明晰的框架。以此为基础，结合中小学教师研究的特点，我们可以将比较研究的过程进一步分为五个步骤。

### 1. 确定比较问题

确定要比较什么是比较研究的前提。包括确定比较主题、比较内容或项目、比较范围。比如，比较两个教师教学风格的异同，这个题目就是一个比较的主题。那么，教师上课的语言表达、动作和表情、教学组织方式、教学手段等就是比较的内容。比较的范围可以限定在同一个班里，即面对相同的学生。

### 2. 确定比较标准

没有标准就无法进行比较。比较的标准要尽量明确和具体。比如，要比较同一堂课中不同学生参与课堂的积极性，可以以课堂举手的次数为标准来进行比较；再如，比较两个班的教学和管理质量，可以以学生的身心发展和学业成就的情况为标准；或比较两个教师是否将课堂还给学生，可以把他们分别在课堂上的讲授时间和交给学生自己思考的时间作为比较的标准。总之，比较的标准对于比较研究来说非常重要，标准的选择一定要能够反映问题的实质，同时，要具有可操作性。

### 3. 收集资料

确立了比较标准后，要通过各种途径，运用各种方法来收集相关资料。

4. 整理和分析资料

按照比较的标准，将材料进行分类和整理，去除无关的材料，并对归类后的资料做出解释。

5. 比较分析，得出结论

比较收集到的材料，并加以解释，寻找产生差异性的原因，得出结论。

比较研究法的运用要注意两个基本问题。

一是可比性，比较研究的对象应该是同一类事物，否则就不可能比较。比如，你不能把小学生与大学生进行比较，同样，你也不能把小学与大学放在一起比较。当然，可比性的标准随着研究问题的变化而在不断变化，不同的问题对可比性的要求也不一样。

二是全面性，教育和教学的过程十分复杂，影响因素很多，而且，任何事物都不是孤立存在的，彼此之间密切联系。因此，在做比较研究的时候，应力求全面和客观。

# 第五节　做好资料的整理和分析

教师通过观察、访谈、问卷、测验等多种方法收集到了大量的研究资料后，就要开始对资料进行整理和分析工作了。整理资料的过程相对比较简单一些，即对收集到的各种资料进行审查、甄别、分组、归类、登录和汇总，使多种不同来源的复杂资料变得条理化、系统化、精炼化，为下一步的资料分析做好准备。资料整理是资料收集和资料分析之间的重要中介。

资料分析是研究的核心任务。资料分析的方法有很多种，按照分析工具和手段的不同，可以概括为两大类。一类是定性分析，也有学者称之为质的分析；另一类是定量分析。

## 一、定性分析

定性分析是确定资料是否具有某种性质和特征，分析资料主要观点和论证逻辑的一种分析方法。它回答的不是数量的多少问题，而是性质上的"是什么""属于什么""怎么样"等问题。教师行动研究中最为常用的定性分析方法有两种，一种是情境分析，另一种是类属分析。

### 1. 情境分析

情境分析指的是将资料放置于研究现象所处的自然情境之中，按照故事发生的时序对有关事件和人物进行描述性分析。这是一种将整体先分散然后再整合的分析方式。首先看到资料的整体情形，然后将资料打散，进行分解，最后将分解的部分整合成一个完整的、坐落在真实情境中的故事。情境分析强调对事物作整体、动态的呈现，注意寻找那些将资料连接成一个叙事结构的关键线索。情境分析的结构可以有很多不同的组成方式，如前因后果排列、时间流动序列、时空回溯等。分析的内容可以是研究现象中的主题、事件、人物、社会机构、时间、地点、状态、变化等。这些内容可以综合使用，也可以以一个部分作为主干，其余有关的部分作为支撑。①

情境分析的第一步是系统认真地阅读原始访谈的资料，找出访谈对象叙述内容最密集的部分。然后，以此为出发点，将访谈对象的思维线索完整地勾勒出来，并将访谈对象的陈述与访谈对象当时的处境联系起来，分析其语言背后所透露的信息，找出问题发展的过程、原因。情境分析，既可以一个人独自思考，也可以组成研究小组，通过对访谈资料的呈现和理解，每个人说出自己的想法。然后，再将每个人的想法汇总。也可以把访谈对象出现频率比较高的词列出来，寻找访谈对象思维

---

① 陈向明. 教师如何作质的研究［M］. 北京：教育科学出版社，2001：176－178.

的主线，然后以此为出发点，将相关信息与主线串联起来。这样，访谈对象所要表达的意思基本上就呈现出来了。

情境分析的第二步是为访谈资料编码和归类。找出了访谈对象表达的主要问题或主要事件后，对相关材料按照原因、时间、地点、相关人物、冲突事件、高潮、问题解决和结局进行编码和归类。这样，就会把看似零碎的材料串成了一个完整的故事情节。实际上，按照这样的逻辑把一个完整的教学事件展现出来，就是一篇很好的叙事研究的文章。不仅人物丰满，而且情节跌宕起伏。

## 2. 类属分析

什么是类属？类属是资料分析中的一个意义单位，代表的是资料所呈现的一个观点或一个主题。比如，你可以将人的素质分为很多种，音乐、语言、推理、想象等。其中的每一类就代表一个类属。当然，类属的划分是相对的，是根据研究的内容来确定的。"类属分析"指的是在资料中寻找反复出现的现象以及可以解释这些现象的重要概念的过程。在这个过程中，具有相同属性的资料被归入同一类别，并且被赋予一定的名称。为了更加直观地进行类属分析，我们可以建立一个不同类属之间的关系图。

如，在一项对大学毕业生就业问题的调查中，调查者通过访谈发现，用人单位在挑选大学生时使用了很多重要的概念，如："做人""做事""敬业精神""团队精神""职业道德"等。因此，可以把"做人"和"做事"作为合格大学生的两个核心类属，在"做人"这个类属下列上"敬业精神""团队精神"和"职业道德"等下位类属；在"职业道德"这个类属下列上"自我定位"（即不轻易"跳槽"）、"自我评价"（即正确评价自己的能力，不认为自己大材小用）、"自我约束"（即不打招呼就"跳槽"了）等下位类属[①]。（见图10）

---

① 陈向明. 教师如何作质的研究 ［M］. 北京：教育科学出版社，2001：174 – 175.

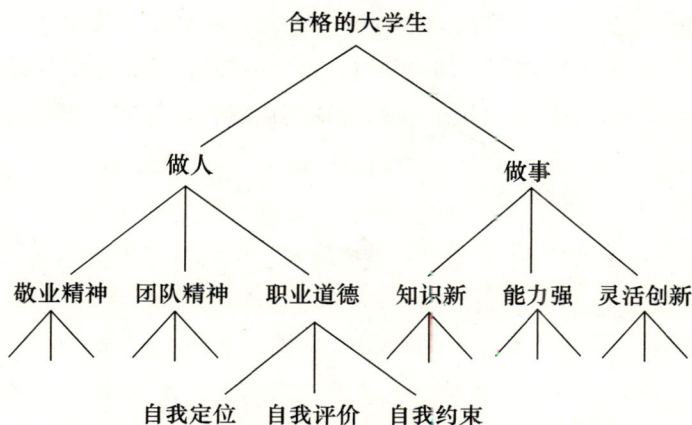

图 10　类属分析的一个案例

　　进行类属分析时，应该注意分类的标准问题，主要是避免犯逻辑错误。一是上位的类属概念与对应的下位类属概念之间是包含与被包含的关系；二是在同一个等级上的类属概念之间不可出现相互包容的现象。另外，还应该注意下位的类属概念不要太多，只要反映主要问题就行了，没有必要把所有的下位概念都列举出来，增加分析的难度。确定好分析框架后，把访谈和调查中得到的相关资料按照类属的标准进行归类，就可以总结出问题的成因或描画出事件的轮廓，这样，再做判断或下结论时就可以很好地反映事物的特征。

　　应该说，情境分析和类属分析各有优缺点。情境分析更贴近被研究者的生活现实，能够比较好地再现被研究者对问题的感知、认识和理解，或者重现事件发展的全过程，给研究者提供一个比较真实的全貌。但是，情境分析容易忽视不同意义材料之间的关联，难以抽样出一般性的结论，使研究很容易停留在描述性的层次上。而类属分析可以很好地避免这些缺陷，通过研究者对材料的编码、分类、比较和概括等处理，使一些看似没有关系的材料发生了意义上的联系，容易突出问题的核心和事件的主题。类属分析的缺点是材料相对比较分散，无法反映事件发生的真实场景和动态过程，无法看清全貌。有时，由于分类不当，类属分析可能会造成一些关键信息的损失。因此，从这个角度来说，教师在整理访谈、观察和调查得来的材料时，最好把两种方法结合在一起使用。

下面是一个访谈的片段，我们尝试用情境分析的方法做些分析。

[案例]

访谈者：您好！我是……，想请您谈一下您对你们学校教师培养方面的看法。

被访谈者：在教师培养方面我们学校挺重视，组织教师参加"绿色耕耘"培训、课题组培训、平时假期的培训，在培训时间方面，一般要是有课就调一下，学校还组织校本培训。

访谈者：您能谈一下校本培训吗？

被访谈者：每周一开会之前，校长会念一段教学方面的、德育方面的、班主任管理方面的好的文章，组织计算机学科的老师，定期给大家上课。我们去年暑假接受新理念培训，听魏书生的课，学校给大家刻盘，组织全体老师观看。校长经常说要勤洗脑，不能总是把自己禁锢起来。领导的思想还是比较新的，但是无法扭转中考这种评价方式。比较前沿的东西要学，要吸收，要落实到课堂和教学管理中去，但是旧的东西又不能扔，因为每年教委都要对中考成绩进行总的排队，这样一来，我们就不能不重视中考，毕竟还要追求一个社会效益。

访谈者：这也关系到学校的声誉。对于教师平时的教学技能、教学水平方面的培养有哪些举措？

被访谈者：我刚说的"绿色耕耘"培训、课题组培训、平时假期的培训、骨干教师培训就属于这方面。

访谈者：科研方面的呢？

被访谈者：科研方面我们学校有课题组，网络资源平台"基于校园网络环境下的资源"，教师可以把自己做的课件放到网上，同科教师之间互相讨论，在哪需要修改，提出建议。

访谈者：您刚才所说的这些培训，有没有什么问题？

被访谈者：问题就是教师外出培训，因为课不能耽误，所以老师会很累。一般培训放在假期会好一点。如果能有脱产进修的机会就更好了，不过现在这样的机会几乎没有。

访谈者：培训的种类很多，但是时间占用很多。

被访谈者：从教委来说，学校培训的出发点都是好的，实际效果不是很好，有的培训者讲课糊弄，凑时间。

访谈者：根据学校的具体问题有针对性地进行培训是不是会好一点？如果能事先到学校视察一下，是否会更好？

被访谈者：没有这样的，其实如果能这样会更好。

……

运用情境分析的方法，我们发现，访谈对象提到最多的是培训形式问题。学校里的主要培训有"绿色耕耘"培训、课题培训、假期培训、校本培训；培训的时间主要集中在平时上课期间；培训地点以学校为主；培训方式有校长会议讲话、同行交流、校园网络等；培训内容主要以转变教学观念，利用网络资源等为主。访谈对象感到学校教师培训中存在的问题主要是占用时间太多，与教学产生冲突，培训受到教委和学校评价标准的影响，有形式主义倾向。从访谈对象的语气中，我们也能感受他们对培训重要性的认识，以及对改革培训模式和培训内容的期待。比如"如果能有脱产进修的机会就更好了，不过现在这样的机会几乎没有。"当访谈者问道："根据学校的具体问题有针对性地进行培训是不是会好一点？如果能事先到学校视察一下，是否会更好？"访谈对象表示赞同。

根据以上分析，我们可以描绘出该学校教师培训的大致图景：学校领导重视培训，采取各种途径，全体授课教师参与，只是培训过程中存在着教师教学时间和培训时间的激烈冲突、培训内容与教学评价指标的矛盾。教师希望改变目前的培训形式，积极利用假期时间，减少与正常教学的冲突，同时，在培训内容上提高对教学实践的针对性。

读者可以再参照类属分析的方法对上述材料进行整理和分析。

## 二、定量分析

定量分析是对研究收集到的材料，特别是数字进行数量化分析的方法。定量分析的方法有很多种，包括许多统计量数和统计检验的方法。对于中小学教师来说，接触最多的是学生测验和考试的分数。因而，如何认识和分析这些数据，对于教师及时了解学生发展的情况，了解自己的教学效果，进而改进教学，提高教学效能有非常大的意义。

教师常用的定量分析方法主要包括以下几种。

### 1. 集中量数

大部分数据趋向于中间的某一点的趋势，就叫集中趋势，代表集中趋势的量数叫做集中量数。集中量数包括中数、众数、几何平均数和算术平均数。中数是一组数据按照大小顺序排列的正中间的数。它可以帮助研究者从总体上了解学生某项成绩的分布情况。众数是在一组数据分布中出现频率最多的那个数据。比如，在一次语文测验中，A班全体学生的考分中90分为最多，则90为该班本次语文测验成绩的众数。B班80分为最多，那么，B班成绩的众数为80。众数可以帮助教师了解学生或班级之间的分数差距。几何平均数是一组数的连乘积开n次方的根。算术平均数也叫做平均数，是一组数相加求和再除以相加次数的结果。平均数能够很好地反应调查样本或总体的一般水平，也是教学质量评价中最常用的一种方法。

### 2. 差异量数

差异量数是表示一组数据的差异情况或离散程度的量数。与集中量数反映集中趋势相反，差异量数反映的是离散趋势。差异量数一般包括全距、平均差、方差和标准差等。全距是一组数据中的最大数与最小数之差，也称极差，它是表示数据分布离散程度最简单、最直接的方式。

比如，某班期末考试中，英语成绩最高分为 95 分，最低分为 63 分，则全距为 95 − 63 = 32。利用全距能够帮助教师了解学生成绩之间的最大差距，及时发现学生发展中的问题，帮助学生查漏补缺。

平均差是表示各量数离差绝对值的平均数。离差也叫做离均差。如果把一组变量的平均数作为原点，计算各变量与原点之差，这种差就叫做离差。离差有正有负，若按正负计算，其总和等于零，也就无法算出一个表示差异情况的指标。为了解决这个问题，我们可以不取离差的"代数和"而取其绝对值并求和，再除以变量的个数，这样就可反映一组变量的差异情况。这种统计量，就叫做平均差，常用 $A$、$D$ 来表示。①

其计算公式为：

$$A.\,D.\;=\;\frac{\sum \mid x - \bar{x} \mid}{N}$$

其中 $x$ 代表某一量数，$\bar{x}$ 代表一组变量的平均数

方差又称变异数，是各离差平方和的平均数，其符号为 $S^2$。方差的平方根为标准差，符号为 $S$。公式表示为：

$$S^2 \;=\; \frac{\sum (x - \bar{x})^2}{N} \;=\; \frac{\sum d^2}{N}$$

$$S \;=\; \sqrt{\frac{Z(x - \bar{x})^2}{N}} \;=\; \sqrt{\frac{\sum d^2}{N}}$$

上式中 $S^2$ 为方差，$S$ 为标准差，$x$ 为各个变量的观察值（如各学生的成绩分数），$\bar{x}$ 为平均数（如班、组的平均数），$N$ 为观察的总次数（如各班、组人数）。

### 3. 标准分数

标准分数，又称 $Z$ 分数，是以标准差为单位表示一个分数在团体分数中所处的位置，所以也叫做相对位置量数。标准分数的计算公式为：

$$Z = \frac{x - \bar{x}}{S}$$

---

① 李方. 现代教育研究方法 [M]. 广州：广东高等教育出版社，2004：338 − 339.

从上述公式可以得知，标准分数是一个分数与其平均数之差除以标准差所得的商。平均数以上各点的 $Z$ 分数为正值，平均数以下各点的 $Z$ 分数为负值，平均数的 $Z$ 分数为零[1]。例如，某班数学平均考试成绩为 80 分，标准差为 9 分，学生 A 分数为 95 分，学生 B 分数为 70 分，那么，学生 A 的标准分数为 95 与 80 的差再除以 9，为 1.67。B 的标准分数为 70 与 80 的差再除以 9，为 -1.1。标准分数没有实际单位，其主要功能除了表明原数目在整体中的位置外，还可以使我们对不同科目的数字进行比较。标准分数比较多地应用在学生成绩评定和录取新生工作中。正常情况下，我们在对学生成绩进行总体评价时，总是习惯于把各门功课的成绩直接相加，这实际上是不科学的，结果会导致对学生不正确、不科学的评价。比如，学生 A 和学生 B 的总分相同，但通过标准分数比较之后，学生 A 的标准分数就高于学生 B，如表13。

**表 13　学生 A 和学生 B 成绩比较**

| 科　目 | 原始分数 | | 总体参数 | | 标准分数（$Z$） | |
|---|---|---|---|---|---|---|
| | 学生 A | 学生 B | 班平均分数 | 标准差 | 学生 A | 学生 B |
| 政　治 | 79 | 71 | 61.93 | 11.27 | 1.515 | 0.805 |
| 语　文 | 58 | 66 | 53.13 | 12.50 | 0.390 | 1.030 |
| 数　学 | 60 | 60 | 57.45 | 19.98 | 0.128 | 0.128 |
| 物　理 | 60 | 75 | 52.08 | 16.14 | 0.491 | 1.420 |
| 化　学 | 70 | 79 | 48.84 | 15.63 | 1.354 | 1.930 |
| 生　物 | 21 | 18 | 18.13 | 5.35 | 0.536 | -0.024 |
| 外　语 | 50 | 29 | 33.81 | 17.69 | 0.915 | -0.272 |
| 小　计 | 398 | 398 | | | 5.329 | 5.017 |

这是因为，虽然两人的总分相同，但学生 B 有两门科目低于班平

---

① 李秉德. 教育科学研究方法 ［M］. 北京：人民教育出版社，1986：160.

均分数，致使其标准分数变为负值，所以，总体的标准分数低于学生A。这说明，标准分数可以较好地衡量学生是否全面发展。

总之，定性分析和定量分析都是教师研究中常用的方法，其本身并不存在孰优孰劣的问题，各有其适用范围和优缺点，在研究中应根据需要和材料的特征结合使用。

**思考题**

　　1. 怎样找到有价值的研究文献？

　　2. 为什么要提出研究假设？

　　3. 教育实验研究设计中要注意哪些问题？

　　4. 怎样做好研究资料的整理和分析？

　　5. 请你根据问卷编制的基本要求，设置一份简单的问卷，调查一下学生对教师教学效果的评价。

# 5

## 研究成果的呈现

教师拥有研究的机会，
如果他们能够抓住这个机会，
他们将不仅能有力地和迅速地推进教学的技术，
并且将使教师工作获得生命力和尊严。

————布金汉姆

研究成果的提炼与呈现既是研究者自身思维清晰化的一个过程，也是教师之间分享彼此研究发现的一种重要途径。同时，教师把研究成果整理出来，并以一定的方式呈现给读者，可以很好地帮助教师从科研中获得成就感，从而进一步激发教师参与科研的动力。因此，研究成果的呈现是教师研究过程的一个重要环节。

一提到"研究成果"，大多数人的脑海中可能都会很自然地想到论文、研究报告、著作等，似乎只有这些形成文字的东西才能称得上是"研究成果"。实际上，由于教师研究与专业研究在研究的目的和任务上的不同，教师研究成果的呈现方式相对于专业研究来说往往更加多样化，表达上也更为自由，比如，研究报告、经验总结、教育叙事，等等。下面介绍几种教师常用的研究成果呈现方式。

# 第一节　教学课例

　　教师研究是否取得成效往往是从教师的教学行为表现中得以反映。因此，教学行为的变化既是检验教师研究成果的主要标准，也是教师研究成果的一种主要表现形式。教学课例就是教师研究成果的一种很好的表达形式。所谓教学课例就是教师记载某节课或某些课教学的实际过程和完整场景，记述在教学过程中所碰到的问题和所采取的解决方案，以及教师自身对教学过程的反思。其主要表达形式为："教学设计＋教学实录＋教学反思"。

[案例]　　　　　　　　"年、月、日"的教学

　　数学课堂教学活动应当是一个活泼的、主动的和富有个性的学习活动空间。数学课堂应该让学生在动手实践中，在自主探索中，在合作交流中去思考、去质疑、去辨析、去释疑，直至豁然开朗。要充分体现数学课程标准的"双主体"理念，让学生成为学习的主体，教师成为教学的主体。在这个理念的支撑下，我在教学"年、月、日"时进行了深入研究，做了大胆的尝试。

　　**教学目的：**

　　1. 通过自主探索，使学生认识时间单位年、月、日，知道大月、小月、平年、闰年，记住各月及平、闰年的天数，初步学会判断某一年是平年还是闰年。

　　2. 在探索学习的过程中培养学生自主、探索、合作学习的能力，以及观察、对比、概括能力，促进学生数学思维的发展。

　　3. 让学生通过亲身参与实践活动，获得情感体验和成功体验，培养学生愿学和乐学的兴趣。

　　**教学重点：**有关年、月、日的知识。

**教学难点：**发现并学会判断平年和闰年的方法。

**教具、学具准备：**自制多媒体课件，1999 年到 2008 年的年历表。

**教学过程**

课前欣赏音乐：

同学们，让我们共同欣赏一首熟悉的歌曲，会的同学可以跟着一起唱，好吗？（媒体播放《生日歌》）说一说自己是哪年、哪月、哪日出生的？（板书：年 月 日）

刚才同学们说了自己的出生日期，小华也想说说跟生日有关系的问题。（播放）下面我们一起欣赏一个有关生日的小故事，好吗？——小华爸爸 36 岁为什么只过了 9 次生日？这是怎么一回事呢？让我们带着这个疑问一起走进神秘的数学课堂吧，我相信通过这节课的研究，你们就会明白其中的奥秘！

（课前运用生日歌进行导入，使学生觉得很亲切，感受到数学就在我们的身边，掌握好了数学知识还能帮我们做很多事。如此导入不但激发了学生的学习热情，还体现出了新课程新理念：数学无处不在，数学就在我们的身边。）

**一、直接揭题，了解起点**

师：我们已经认识了哪些时间单位？

生：时、分、秒。

师：今天我们继续来学习时间单位年、月、日。

师：关于年月日你已经知道了哪些知识？

生 1：一年有 12 个月。

生 2：一年有 365 天。

生 3：一个月有 30 天。（另外有学生马上就反驳：一个月有 31 天、28 天、29 天。）

生 4：半年有 6 个月。

师：大家知道这么多年月日的知识，那是不是都像我们大家刚才说的这样呢？年月日还有哪些奥秘呢？这节课我们就一起来研究。

（学习是学生的经验体系在一定环境中自内而外的生长，它必须以学习者的已有知识经验为基础来实现知识的建构。教学不能无视学习者的已有知识经验、简单强硬地从外部向学习者实施知识的填灌，而是应当以学习者原有的知识经验作为知识的生长点，引导学习者从原有的知识经验中生长新的知识经验。）

**二、小组合作，观察探索**

1. 研究资料，提出问题

师：以小组为单位观察年历卡，你能发现什么？能提出哪些问题？

学生拿出课前准备好的年历卡（年历表为2001年至2008年的，每个小组（出示的）是不同年份的一张），教师介绍年历卡：

醒目的大字，表示的是这张年历的年份。

年份下面的每一小块表示的是这一年中的每一个月。

每个月中，记载着这一个月的每一天。

学生4人一组，共同合作，认真观察年历卡，然后完成题纸上的"想想做做"（见表14）。

**表14　想想做做**

| 观察的年份 | | | | | | | | | | | | |
|---|---|---|---|---|---|---|---|---|---|---|---|---|
| 月　份 | 1 | 2 | 3 | 4 | 5 | 6 | 7 | 8 | 9 | 10 | 11 | 12 |
| 天　数 | | | | | | | | | | | | |
| 我们发现 | | | | | | | | | | | | |

2. 小组汇报，整理信息

师：把你们的发现和大家一起交流一下。

学生以小组为单位进行汇报。

生1：我们组发现了2001年的年历表的几个特点：①1月、3月、5月、7月、8月、10月、12月都是31天；②4月、6月、9月、11月都是30天。③2月很特殊是28天。

生2：我们组前两个发现和他们组一样。第三个发现不同，我们组的2月也很特殊，但是是29天。（指2004年）

师：其他组有没有不同意见？

生：没有。

师：那么也就是说从2001～2008年每一年的1月、3月、5月、7月、8月、10月、12月都是31天，每一组都一样；4月、6月、9月、11月都是30天，每一组也一样。只有2月很特殊，有28天，也有29天。

师：观察课前收集的年历卡，你又有什么发现？

师：现在你能得出什么结论？

生：每年的1月、3月、5月、7月、8月、10月、12月都是31天；4月、6月、9月、11月都是30天；2月有28天，也有29天。（师板书）

师：人们习惯上把每月都是31天的月叫做大月，每月有30天的月叫做小月。（板书：大月、小月）

师：2月是大月还是小月？

生1：2月份既不是大月也不是小月。

生2：2月份只有28天或29天。

师：2月份是一个特殊月份，我们把2月份是28天的这一年叫做平年，把2月份是29天的这一年叫做闰年。

（现代教学的主流精神是体现"以人为本"的思想，教学中要以学生的发展为立足点，采用"问题探究"教学法，让学生主动参与到学习中来，充分体现《数学课程标准》中"变注重知识获得的结果为注重知识获得的过程"的教育理念。探究性活动是一种创造性活动，通过对话与交往，可以重建人道的、和谐的、民主的、平等的师生关系，培养学生的课堂参与意识。）

3. 巧设质疑，协作解密。

师：请说说你们组的年份是闰年还是平年？

2002　2003　2004　2005　2006　2007　2008

师：我们刚才是根据什么来判断一个年份是闰年还是平年？

生：2月份的天数。

师：那是不是以后看一个年份是闰年还是平年，都要找到这一年的2月份的天数再判断呢？我们做个游戏，无论你们说出哪一个公历年份，老师不用看2月的天数都可以很快地判定它是不是闰年，要不要试试？

生：1996年、2006年、2012年……（教师立即判定出是平年还是闰年并借助计算机上的日期程序验证，学生服气，并产生了很大的好奇心。）

师：你们想知道老师是如何判定一个公历年份是不是闰年的？请同学们仔细观察。

课件出示课前收集整理的2月份天数记载表。你们能发现什么规律？小组探讨、汇报交流。

生1：我发现3个平年后就有一个闰年，再3个平年又一个闰年。

生2：我发现4年中有一个闰年。

生3：闰年年份可以整除4，而平年年份不能整除4。

教师带领全班学生推断出下一个闰年。（2012年、2016年、2020年，并板书。）

师：那2036年是不是闰年？

生1：是。因为2020加4加4的算，再加4个4就是2036年。

生2：2036除以4没有余数，所以是闰年。

师：你的意思是用年份数除以4，能整除没有余数的就是闰年。如果有余数呢？

生3：我有不同的方法 $36 \div 4 = 9$，所以2036年是闰年。

师：你的意思就是说用一个年份的后两位数除以4，能整除没有余数的就是闰年，反之不能整除有余数的就是平年。是吗？（生点点头）

师：刚才这两位同学的发现到底对不对呢，我们一起来验证。（12

个小组每一个小组计算一个年份）

（验证后）师：看来这是个好办法，那我们就用刚才的方法判断平年和闰年。

判断下面几个年份，哪些是平年，哪些是闰年？

（1）1949 年（中华人民共和国成立）（平年）

（2）1997 年（香港回归祖国）（平年）

（3）2008 年（第 29 届奥运会）（闰年）

（波利亚指出：学习任何知识的最佳途径是自己去发现。因为这种发现理解得最深，也最容易掌握其中的内在规律、性质和联系。每个学生都有自己的生活经验和知识基础，对同一个问题每个学生都会有各自不同的思维方式，他们的自主建构任何人（包括教师）都是无法替代的。只有让学生经历了知识的产生过程，他们对知识的理解才是深刻和有效的。）

师：平年闰年是怎么指定的呢？为什么要 4 年一闰呢？你们知道吗？

（学生自由发言、大胆猜想。）

师：你们的猜想对不对呢？让我们一起来观赏一个知识短片，揭示这个奥秘吧。（课件展示天体运动规律，并配音）

我们居住的地球总是绕着太阳转的，地球绕太阳转一圈需要 365 天 5 小时 48 分 46 秒。为了方便，就把一年定为 365 天，叫做平年。这样每 4 年就少算了 4 个 5 小时 48 分 46 秒，如果把"5 小时 48 分 46 秒"当做"6 小时"来计算就少了一天，把这一天加在 2 月里，这一年就有 366 天，叫做闰年。这样每 4 年就有 3 个平年一个闰年了。4 年一闰又多算了 44 分 56 秒。照这样算，每 100 年就多算 18 小时 43 分 20 秒，又将近一天，所以到公元整百年这一年不算闰年，以抵消多算的时间，这种计算方法称为"百年不闰"。但按百年不闰计算，每 100 年又少算了 5 小时 16 分 40 秒，这样每 400 年又少算 21 小时 6 分 40 秒，差不多是一天。所以，到公元年份是 400 的倍数时这一年又是闰年，称为

"四百年又闰"。因此公历是整百数的，必须是 400 的倍数才是闰年。如：2100 年，它是整百年份，所以要除以 400，$2100 \div 400 = 5 \cdots\cdots 100$，所以 2100 年是平年。

生 1：从这个知识短片中我们知道了，"每 4 年有一个闰年"。要判定一个公历年份是不是闰年，就看这个公历年份是不是 4 的倍数，也就是用这个公历年份除以 4，没有余数的就定为闰年。

生 2：但这只是一般情况，还有一种特殊的，就是"遇到整百年时，就要以 400 的倍数为闰年"，也就是用这个整百年的公历年份除以 400，没有余数就是闰年。

（教学过程中的适当探究可以把猜想与验证结合起来，并尽可能把学习者引导到一个富有想象力的学习环境中。教学中利用多媒体信息技术辅助教学，通过设疑激趣的直观演示，引导学生自主探索，让学生全面地参与到每个教学环节中，把枯燥的数学知识以生动形象的形式展现出来，更是让数学教学生活化、趣味化，让学生更乐于学习。）

4. 深化新知，愉快记忆

（1）熟记大小月

教师提问：月有大小月，我们有什么好办法能很快记住哪些月是大月？哪些月是小月？

生 1：我发现了 7 月以前的大月是单数，7 月以后的大月是双数。

生 2：我这样记，小月只有 4 个月，4、6、9、11 月，2 月不用记，记住了这 4 个小月，其余就是大月。

生 3：我会用拳头法来记，是妈妈教我的。（请这个学生介绍拳头法）

（大月、小月的知识是年月日中重要的内容，这部分知识的学习采用主动探究、小组合作形式，让学生先从自己这一小组中发现规律，然后再进行全班交流，便于学生从不同的年份中发现规律。基本的知识点尽量由学生归纳发现，这就将主动权真正交给学生，让学生在与同伴的交流中不断构建知识体系，得到提升。）

学生讨论交流，在学生说出自己方法的基础上引导学生看书自学课本上的方法。

（2）计算全年天数

师：刚才我们已经知道了一年中每个月的天数，你能计算一下一年的天数吗？

（全体学生练习、后进行交流。）

生1：我算出全年有365天或366天。我的方法是：

$$7 \times 31 = 217 \text{ 天}$$
$$4 \times 30 = 120 \text{ 天}$$
$$217 + 120 + 28 = 365 \text{ 天}$$
$$217 + 120 + 29 = 366 \text{ 天}$$

生2：我的结果和他一样，但我的方法不一样。$30 \times 11 + 5 = 365$ 天。

（全班同学都不由自主地鼓掌。）

明确全年天数：平年365天，闰年366天。

**三、应用、拓展新知**

1. 填空

（1）一年有（　　）个月，31天的月有（　　）月，30天的有（　　）月。

（2）平年的2月有（　　）天，闰年的2月有（　　）天。

（3）今年的1、2月一共有（　　）天。

（4）去年的2月有（　　）天，去年全年共有（　　）天。

2. 判断

（1）每年都是366天。

（2）2008年是闰年。

（3）一年里有连续3个月是大月。

（4）4月份有4个星期零2天。

3. 反馈：小华爸爸36岁为什么只过了9次生日？

4. 应用拓展

小玉在外婆家住了 62 天，正好是两个月，你知道是哪两个月吗？如果住了 61 天，也是两个月呢？

**四、课堂小结、升华认识**

师：这节课你知道了些什么？有哪些收获？（教育学生珍惜时间，激励学生更好地学习数学知识。）

1. 交流：这节课你有什么收获？

2. 总结：结合学生的回答，总结、梳理本误的知识，结束全课。

（让学生通过对本节课知识的输理，培养他们的自信心和良好的学习心理。）

板书设计：

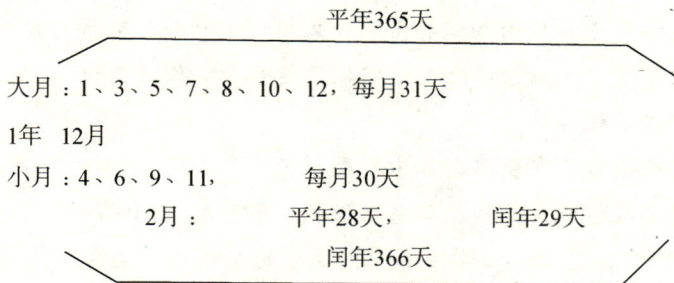

平年365天

大月：1、3、5、7、8、10、12，每月31天

1年　12月

小月：4、6、9、11，　　　每月30天

2月：　　平年28天，　　　闰年29天

闰年366天

教学反思：

本堂课我以学生的发展为立足点，采用"问题探究"教学法进行探究式教学，并结合多媒体辅助教学，引导学生动手操作、自主探究，充分调动学生学习的积极性，培养学生自主学习、解决实际问题的能力。通过本堂课的教学，我更深刻地感受到课堂教学应当以探究为切入点来组织教学活动，让学生从感知到认知，然后积极思维获取知识。教师在教学过程中要对学生加以引导，学生主动积极地参与才能让学生把知识转变成能力。教学中在拓展课本知识的同时，更应该关注学科之间的整合。

## 一、了解起点，在原有基础上探索

学生的学习不是简单的信息积累，是新旧知识、经验的相互作用及由此而引发的认知结构的重组。也就是说，学习是学生的经验体系在一定环境中自内而外的生长，它必须以学习者的已有知识经验为基础来实现知识的建构。教学不能无视学习者的已有知识经验，不能简单强硬地从外部向学习者实施知识的填灌，而是应当以学习者原有的知识经验作为知识的生长点，引导学习者从原有的知识经验中，生长新的知识经验。年月日的知识对学生来说不是一张白纸，他们在平时的生活和学习中已经接触过这些知识，所以课一开始我就先让学生说说你已经了解了年月日的哪些知识，以了解学生的学习起点。另一方面，年月日的知识是建立在时分秒知识的基础上的。我通过问：我们已经学习了哪些时间单位？今天我们继续学习时间单位年月日；学习时分秒的知识我们是借助了时钟，学习年月日的知识要借助什么呢？把时分秒和年月日放在同一个知识框架中。一则使学生明白它们都是表示时间的单位名称，二则渗透学习方法的迁移。

## 二、鼓励探索，在获取新知中发展

荷兰著名数学教育家弗赖登塔尔强调：学习数学的唯一正确方法是实现"再创造"，也就是由学生本人把要学的东西自己去发现或再创造出来。因此，在教学中，我充分让学生主动探索知识，引导学生通过合作、讨论，自主得出结论。

我首先从改变学生的学习方式入手，来改变自身的教学行为。教法的选择不再只是为呈现现成的知识，而是为学生创设主动探索知识的情境。在教学过程中，我为学生准备了2001—2008年这8年的日历，让学生4人一小组，通过观察日历，填出每一年的天数，先以小组为单位进行交流，然后进行全班交流。这样，促进学生互相交流、互相启发、主动构建新的认知结构，让不同的学生得到不同的发展。引导学生在交流中积极表现，大胆发表自己的观察所得，交流自己对知识的理解，得出一年中每个月的天数的规律，分享着知识交流的乐趣。

### 三、充分体验，在感悟探索中提升

"感"就是感知的过程，就是感受、观察、实践的过程；"悟"就是了解、领会、理解、觉悟的过程；感悟表现为探索、试验、猜测、直觉、思考、渐悟、顿悟、创新等方面。"感悟学习"的认知过程和心理历程离不开主体参与的各项数学活动。活动生"感"，反思得"悟"；没有亲历其境的"感"，就不会有永生难忘的"悟"；"感"得越深刻，"悟"得越透彻。在闰年和平年的教学中我也充分利用了2001—2008年这8年的日历材料和计算机日期程序软件，让学生自己观察，探索规律，自己发现每4年中有1个闰年的规律，接着让学生通过计算找出判断平年和闰年的方法，很好地体现了以学生为主体、以教师为主导的教学原则，培养了学生观察、分析和判断推理的能力，使教学难点迎刃而解。最后让学生分组进行验证。这样，让学生通过观察—分析—假设—验证的学习过程来发现知识、感悟方法，促使学生学会学习，让学生在亲身经历大量感性材料中感悟到数学知识的产生，真正建构起充满生命力的数学知识，体验数学学习的无穷乐趣。

### 四、交流合作，在反思探索中得到发展

我们的课堂教学，必须加强对学生合作意识的培养。要及时组织学生进行讨论、交流（可以是小组交流，也可以是全班交流），让他们表达出自己的见解，促使他们在互相交流中，不断反思自己的思维过程，吸取他人长处，弥补自己的不足，从而实现自主探索地学习。在本课中我设计了学生自己计算全年有多少天，问题一提出，学生有的自己探索，也有的和同伴交流进行探索，这便给学生提供了主动发展的时间和空间。全班开始了积极地探索，一个生动活泼的学习形式油然而生，全班同学焕发出极大的创造激情，自由地、主动地投身于数学活动中。汇报交流时，有学生计算出全年有365天；有学生计算出全年有366天；也有学生说如果2月份是28天的话，那这一年就有365天，如果2月份有29天的话，全年就有366天。通过以上的讨论、交流，使他们懂得，考虑问题要全面，达到互相交流共同进步之目的。使学生在与同伴

的交流中自主反思，得到发展。这样的设计吸引了全体学生参与探索，课堂生动活泼，沉闷的气氛被打破，自主、审美、创新的气氛在课堂弥漫……

（北京密云县东邵渠中心小学　刘海青老师撰写）

　　这是一个完整的数学课的教学课例，刘老师不仅准确地记录了教学的全过程，而且对于教学过程中为什么采用这样的设计，还做了理性的反思。通过反思，刘教师更加清晰地认识到只有"以学生的发展为出发点"，采用"问题探究式"的教学方法，根据学生的已有经验，逐步展开教学，让学生在教学过程中进行充分的合作、交流与讨论，才能使学生获得真正的发展。这样的教学课例不仅有助于教师提高自己的专业水平，而且对于其他同行来说，也是非常具有借鉴意义的。

# 第二节　教育案例

## 一、何谓教育案例

　　教育案例与教学课例存在着某些方面的一致性，比如，都是研究某一特殊的教育教学场景，都需要教师对教育教学过程进行反思。不同的是，教学课例是以一个课堂为研究对象，关注某一节课或者某一节课的一个片段；而教育案例是以教学中的具体事例为研究对象，这个具体事例可能会超越课堂范围。所以，教育案例，就是含有问题或疑难情境在内的真实发生的典型性教育事件。

　　教育案例来源于教师所遇到的特定教育事件，以及教师在处理这一事件过程中所采取的措施，并对这些措施的效果及时进行反思和总结，因而其表达形式为"故事背景＋问题＋策略选择＋反思"。简单一句话，教育案例是教师自己讲述自己的教育故事。

## 二、教育案例的价值

### 1. 教育案例是教育问题的源泉

研究起源于问题。教师研究的问题不是高深的理论问题，而是与实践中的具体场景紧密联系在一起的教育问题，这些问题并不是抽象存在的，而是存在于一个个鲜活的案例中，充满了个性和特殊性。比如，每一个学生的成长经历、每一次教育事件处理的过程都不可能完全一样，因而，教师研究的对象总是一些特殊的、具体的个案。即使教师在面对相同的教育情景、遇到相同的教育事件时，由于发生在不同的教育对象身上，其处理的手段和方法也不能完全沿袭过去的经验，都需要教师很好地加以研究。从这个角度来讲，正是这些特殊的案例给教师提供了丰富的问题源泉。

### 2. 教育案例是教师教育研究发生的起点

"教师研究从哪里开始"，这一直是困扰中小学教师的一个重要问题。教师每天所面临的是几十个，甚至几百个不同个性的生动活泼的个体，每天的课堂都会遇到不同的问题，而教育的智慧就表现在对这些千差万别的个体和稍纵即逝的教育现象的把握。因此，教师的研究也就是在具体的教育教学情境中，针对每一个特定的个体和特殊的事件而展开的。

### 3. 教育案例是沟通教育理论与实践的桥梁

长期以来，教师在教育教学过程中感到最痛苦和最大的问题是那些在书本中所学到的理论知识无法与实践对应起来。理论与实践是两张皮，我们通过观察，得到的情况是教师学习了很多最新的观念和理论，但是教学实践却并无多少变化，其根本原因是缺乏把理论转化为实践的中介。如果教师能够结合教育中的案例进行具体分析，深入挖掘每一个教育案例背后所蕴涵的教育理念和方法，那么，这种理论与实践割裂的现象可能就会有不少改观。

众所周知，心理学上有一个著名的关于需要的层次理论，即马斯洛的需要层次理论。马斯洛认为，人的需要分为五个层次，从下往上依次是生理需要、安全需要、归属和爱的需要、尊重的需要、自我实现的需要。这个理论对于教师认识学生和激励学生是很有启发的。但教师如果不加分析，生搬硬套地把它拿到教学中来，它的作用同样得不到很好发挥，因为每个人的情况不一样，需要的层次也不一样。所以，教师在应用需要层级理论来解决学生学习动力问题时，就需要从每个具体的个体入手，找出决定其学习动力的关键因素，然后针对其需要，采取不同的激励方法，这样才能很好地将理论与实践联系起来。所以，案例研究是沟通理论与实践的桥梁。

### 4. 教育案例是教师专业成长的阶梯

教师被作为专业技术人员来看待，时间并不长，大概就是从 20 世纪后半期开始，特别是在我国，对教师职业的专业性至今仍存在不少争论。其主要原因就是长期以来我们对教师职业的专业性缺乏明确的认识，"学者即良师"的观念根深蒂固。所以，过去教师的从业"门槛"相对于其他行业来说要低得多，我们经常会看到一些并没有受过什么专业训练的人员登上讲台，"传经布道，解惑答疑"。而一旦走上讲台，可能终生都不再学习，更谈不上专业发展。

因此，如何体现教师专业特性，如何实现教师专业成长就成为当前教师专业发展迫切需要解决的问题。由于教师的主要任务是引导和促进学生的发展，教师的教育理念也好、教学方式方法也好都是为学生发展服务的，所以，教师的专业特性和专业水平全部体现在教师对学生的教育，以及对教学事件的处理过程中。教师只有在面对这些鲜活的个体和一个个复杂的教学情境中，才能认识到自己的不足，认识到教学过程中的难点和重点，并努力寻找解决的途径。也只有通过这些案例才能真实地记载教师教学的经历和专业成长的历程。

正因为案例具有如此重要的价值，所以，顾泠沅先生才会感叹：一个精彩的案例不亚于一项教学理论的研究，而且只有教师自己才最适合于做这种研究，当然专业研究人员的参与不可或缺。中国的教师数量是世界上最多的，我们的教改实践具有长期积累的经验，我们应当有自己最丰富的、富有时代气息和民族特点的案例宝库。

### 三、案例从哪里来

尽管教学中不乏精彩的教学故事，但要整理出一个完整的教育案例来仍然需要教师对自己的教育过程进行理性的反思和总结。

#### 1. 从教学预设与教学效果的反差中发现案例

教师对教学的期待与实际结果之间总是存在着一定的距离，特别是课程改革中提出了许多新的教育理念和新的课堂教学目标，比如不仅要让学生掌握基本的知识和能力，了解知识生成的过程，掌握探究知识的方法，而且还要培养学生的情感、态度和价值观。这样，教学预设的要求相比以前来说就要高得多了。这些新的观念和思想为广大中小学教师构建了一个非常富有挑战性的教学环境。与传统的教学相比，现在的教学对教师的工作要求细致多了，教师教学不能只凭自己的兴趣和经验而不考虑学生的兴趣和需要。因此，在很多情况下，教师在教学之前对教学所做的预设往往与实际的教学效果之间存在一定的反差，这就为教育案例提供了丰富的素材。

#### 2. 在两种教学思路或方法的比较中发现案例

不同的教学方法有不同的教学效果，且对使用方法的教师也有不同的技术手段和能力要求，但每一种方法也都有自身的局限性，所谓"教无定法，贵在得法"。这个"得"不仅意味着方法与材料之间的契合性，而且也意味着方法与教师本人的契合性。教师尝试在同样或类似的教学材料中运用不同的方法，观察这些方法所产生的效果，比较它们之间的差异和优缺点，为今后的教学和同行们提供参考，这本身就是一个很好的教育案例。

### 3. 从对某个教学片段的反思中发现案例

教学的每个过程都需要一定的技能和技巧，这也是教学作为专业的一个重要表现。选取特定的教学片段进行反思和总结就可以形成一个很好的教育案例。比如，教师进入课堂后的头 5 分钟时间，往往是引导学生注意力集中的关键时刻，教师采用什么样的技巧让学生的注意力迅速从课余休息的分散状态转移到课堂中来，教师应该有意识地进行观察和研究，将所采取的不同方式和方法，以及学生的反映，特别是把对典型事件的处理记载下来，然后拿出来与同行一起讨论和研究，这本身就是一个非常好的教育案例。

### 4. 从偶发或特殊事件的处理与平息中发现案例

教学过程充满了不确定性和不可预见性，偶发事件是教学的一种常态，而每一次偶发事件的处理和平息都需要教师特殊的智慧和技能。比如，课堂中的一个顽劣而不参与学习的学生如何通过转化有了明显的改变；原来作业总爱拖拉的学生如何改掉了坏毛病；两个学生最终如何化解冲突；学校中的一次安全事故是怎么发生的，怎么被平息下来的，等等，这些教学中的偶发事件都是极好的教育案例。

### 5. 从对教学细节的关注中发现案例

在管理学和企业界流行的一句话，叫："细节造就专业，细节决定成败"。对于教学而言同样如此。许多优秀教师或特级教师的成长经历告诉我们：关注教学细节是决定教学成败的关键，也是教师专业水平不断提高的必由之路。每一个看似平常和简单的教学细节都蕴涵着深刻的教育哲学和丰富的教学智慧。

一次，笔者在一所学校听课。临近下课时，教师开始提问学生，因为时间比较紧，学生基本没有多少时间思考，所以，回答过程中答非所问的现象就比较多。教师为了照顾多数，一旦有学生回答不上来，或者偏离主题，就立即叫下一位，甚至来不及让他们坐下去，结果有五六位学生一直站到下课。其实，教师也并非有意识地要惩罚学生，而是为了赶时间。下课的时候，我发现那几位学生都比较沮丧，其中有一位女生好像还流了眼泪。我想他们可能心里都比较难受，于是，就把他们叫到一起，索性来个现场访谈，让他们谈谈在课堂上站着的感受。果然不出意料，几乎所有的学生都说当时感到十分难受，觉得很没有面子，根本无心听课，只希望尽快听到下课的铃声。在评课的时候，我把这件事情告诉了上课的那位教师，让他尽快找那几位学生谈谈。

实际上，这种小的细节在课堂中随处可见，但往往就是这些小的细节决定了教师的专业水平，决定了教学的效果，甚至说得严重点，有时会决定一个学生一生的发展。因此，从教学细节中寻找的教育案例都是非常精彩和实在的，对教师提高专业水平有着非常重要的价值。

## 四、什么样的案例才是一个好的教育案例

教师要写出一个好的案例，首先应该清楚什么样的案例才是好案例。一个好案例主要有以下几个方面的特点。

一是故事性。案例要情节完整，人物要鲜活，内在冲突比较显著。

二是代表性。从日常教学现象中选择和概括出来的教育案例，一定要具有代表性，主题要十分突出，每一个案例最好只反映一个主题，比如，逃学的案例、总爱挑衅别人的案例、不爱与别人合作的案例，等等。

三是情境性。虽然教育案例要具有故事性，但并不意味着教育案例可以虚构，教育案例一定要真实、具体，要能够充分再现当时的教学情

境，充分反映情境中人物的性格特征，并对故事发生的场所、时间、涉及的相关人物都有准确、细致的描述。尤其要注意案例的时间性，一般来说，越是最近发生的案例，越具有研究、讨论和示范的价值，时间比较久远的案例，其研究和教育的意义与价值相对来讲会比较小。

四是具有移情作用。教育案例的重要作用和价值就在于它的教育性，因此，一个好的教育案例不仅对于当事人有教育意义，而且在今后当教师遇到同样的场景、同样的问题时，还可以从此案例中找到有益的启示。也就是说从案例中概括出来的一些经验应该可以应用到类似的场景中，这样可以帮助教师积累经验，以后在遇到类似问题时能够很快地找到解决方案。

五是要用第一手资料。案例编写的材料应该全部来源于教学实践，应是当事人的亲身经历，而不是从其他渠道获取的二手资料。只有用第一手资料，才能保证案例的真实性。所以，在教育案例的写作中最好使用"第一人称"。

六是要有反思。教育案例要体现教师本人在遇到特殊问题时的思考，以及由此而提出的解决办法和对所采取的策略的评价。

七是要反映教师工作的复杂性和创造性。教育案例中反映的问题是教师在教学过程中所遇到的具有代表性的，并且相对比较棘手的问题。这些问题一般没有现成的参考答案，基本取决于教师的个人智慧，需要教师在复杂的教学情境中创造性地运用自己的知识和能力。教育案例的编写应该能够很好地体现这种复杂性和创造性，充分反映教学过程中的人物冲突和教师的处理方式。

## 五、撰写教育案例的基本程序

教育案例的撰写并没有一个统一的格式，其写法在很大程度上取决于教师个人的写作风格。但一般来说，一个完整的教育案例基本上包括以下几个部分。

### 1. 标题

标题的确定有多种方法，有根据事件来确定的，如"哄堂大笑以后""闷葫芦说话了"；有根据主题定标题的，如"学生给了我启示""他是这样分组教学的"；也有根据场景来定标题的，如"在学校池塘边上的一堂生物课"，等等。无论是哪种方法，标题都要简洁，要突出主题，要有一定的吸引力。

### 2. 引言

引言是案例的开场白，主要是介绍一下教育事件或案例涉及的一些关键人物的背景，让读者对教育案例的主题有一个大致的了解，为后来的故事做好铺垫。引言虽然不长，但对读者的理解以及后来的叙事是十分有帮助的。精彩的引言能够一下子激起读者阅读的欲望。

### 3. 背景

教育事件都是在一定的时空环境下发生的。因此，案例写作过程中，作者应该将教育事件所发生的特定的时空及其人物特征交代清楚，叙述既要充分又要抓住要点，要使背景叙述与教育事件紧密联系起来。在案例写作中，背景的描述比较容易被忽视，许多教师总是喜欢把关注的焦点和大量的笔墨花到教育事件发生的过程中，实际上，如果没有给读者提供一个完整的背景，后面的冲突以及教师在解决冲突过程中所采取的策略都无法让人真正理解，从而直接影响到教育案例的价值。所以，把背景写清楚、写透彻对于教育案例来说是非常重要的。

### 4. 冲突的出现

如果把教育案例看成是一个故事的话，那么冲突的出现就是高潮环节。从一定意义上说，案例就是为冲突而写，没有冲突，或者冲突不明显、不具有代表性，教育案例的价值都是要大打折扣的。所以，在冲突部分，作者要将冲突产生的原因、冲突的发展、在场人物的行为、冲突的结局都要尽量详细地进行描述，把读者带入到一个真实的教学场景中，仿佛"身临其境"。

### 5. 冲突的化解

从作者的角度来讲，冲突的化解往往体现了教师本人对教育和教学的理解，以及置身于问题情境中的技巧与智慧。而从读者的角度来讲，他们可能会更加关注教师化解冲突的策略。因为，就教学冲突本身而言，并无多少新鲜和特殊性，所以，他们希望看到在面临同样的问题时，他人的"高明"在何处。教师在写作这一部分的过程中，要详细清晰地阐述自己对冲突的理解、所采取的具体措施和效果，特别是前后策略变化的过程与原因要充分展开叙述。

### 6. 反思与讨论

作为教师行动研究成果的重要表现形式，教育案例应该体现教师本人对于教育事件的认识，以及对自己在教学过程中所采取的措施的反思，对于成功的地方或者是有待改进的地方要提出来与他人一起探讨。

### 7. 附录

对于一些比较重要的材料，若放在正文中，会使正文显得冗长或者冲淡主题，所以可以以附录的形式放在后面，比如一些学生对冲突的态度和看法，对教师处理冲突发生关键作用的一些理论和具体事例等，这些都是理解案例必不可少的材料，对正文起到补充说明的作用。

当然，教育案例的写作并非一定要遵照上面的格式，教师可以根据教育事件的实际情况进行适当调整，也可以把有些部分融合到一起，特别是反思环节，既可以独立，也可以放在冲突解决的过程中。

[案例]　　　"特色章"不是优等生的专利

（引言）去年以来，我校结合特色中队创建活动，推出了学生评价激励制度，创设了新的"争章"体系，采用分级"争章"的方法。主要包含中队章（含特色中队章、绿叶章、红花章）和校级章（含铜级院士、银级院士、金级院士）两个级别。这套学生激励制度的最大好处就在于与我们学校的办学思想、中队的实际工作和学生的兴趣结合，具有可操作性。新的"争章"体系实施以来，对学生的生活和学习习惯带来了极大的好处。

（背景）张某是六年级二班的一个比较特殊的学生，父母离异，父亲在菜市场卖菜，母亲改嫁。张某跟着继母一起生活，继母对她也没有好好照顾，家里连个学习的地方也没有，加上张某自己懒惰，作业时常不能及时完成。由于缺乏照顾、搞不好个人卫生，张某身上常散发出一种臭味。再加上她爱打小报告，同学们都不太喜欢她。所以，她与同班同学之间没有正常的交往，时常找低年级或其他班级的同学玩，并且把自己扮成老大的角色。她很聪明和单纯，总是很乐意接受并认真完成教师交给她的任务，也常常刻意地去做一些事情，希望引起教师对她的注意。虽然平时学习不是很认真，但考试成绩也能过得去。

（冲突或问题产生）某个周一下午第一节课，我在六年级上品德课。上课已经好几分钟了，学生张某才匆匆忙忙、满头大汗地推开教室的门，睁着一双充满恐惧神情的眼睛直愣愣地看着我，等着我对她的批评。好几个学生添油加醋地打起小报告："老师，她又迟到了，她是故意的，她经常这样。"大家好像也在等着我对她进行批评。

如何处理张某的迟到呢？如果不表态就让她进去，她可能会想：这老师上课迟到没关系，不会骂我的。以后她可能还会出现迟到的现象。其他同学可能也会想：老师是否对她有偏爱？或者想：以后我也可以迟到了，反正也没有关系。如果对她进行严厉地批评，她可能会想：我迟到了，你批评了我，我们之间已经两清了，以后谁也不欠谁了。其他同学可能是幸灾乐祸地看一场热闹。这时，我深深地感受到张某的孤独与无助。

（冲突或问题的解决）其实，张某不管对我还是对品德课的态度都是非常认真的。有一次，班级要在种植园里种竹子，那个星期六，她带了几位同学到后山去挖竹子；有一次我们做竹艺活动时，只有她记得把"快板"带过来；我经常看到她为英语老师提录音机……想到这些，想到其他同学的这种态度，我不但没有批评她，反而当着其他同学的面表扬起张某来，细数她所做的每一件事情。其他同学哑口无言，而这时张某的脸上也露出了一丝笑容。我知道最佳的教育时机到了，于是，我说："这么一位能干的朋友，我们还有什么理由不发给她中队章呢？我们富有爱心的翠竹幽幽队员怎么会把她遗忘呢？"

"老师，我们认为应该给她发一个中队章，一是让她记住同学们相信她以后不会迟到了，二是对她过去所做的肯定，我们还希望她能做得更好，我们相信她！"班长站起来说。

"对，我们相信她！"

"发一个中队章！"

……

同学们纷纷表达了自己的观点，这时只见张某走上台，说："谢谢你们，我以后不迟到了，我会认真的，我会努力的……"我看到她的眼眶湿润了，不过她强忍着不让泪水流下来。我想，这时她是激动的，她的心灵正体验着从未有过的震撼。

此时，最成功的就是我了，一个中队章不仅教育了一位学生，还教育了55名学生，使他们懂得在学习生活中要善于发现别人的闪光点，学会如何鼓励学习生活中有困难的人。

从那以后，我就没见过张某迟到，她对学习的兴趣似乎也越来越浓厚了。尤其不久后一次到山区体验活动，她不慎手臂受伤，我经常关心她，之后发现她在悄悄地改变，现在她上了初中还是经常回来向我"汇报"："校长，我得了……奖。"或干了什么，等等。

（反思）这件事以后，我进一步体会到了学校的"特色章"激励制度所提倡和注重的是学生的学习过程，它在教学活动中是提高学生学习积极性的手段，它不是优等生或某一部分人的专利，它要成为全体学生的"最爱"。教师在发中队章或绿叶章的时候，应该平等地去对待每一位学生，对学生不要戴有色眼镜。不能因为学习成绩好就对他另眼相看，我们应该关注全体学生、了解他们、帮助他们。

每个学生都是有差异的，每个学生的身上都是有闪光点的，教师要能够及时发现他们身上的闪光点，并给予表扬、肯定，培养学生的自信心，让他们感受到自己在别人心里的重要位置。

教师要讲究教育的方法。正面教育、适度表扬有时比批评的效果要好得多，同时，教育要抓住最佳时机，有时利用突发事件对学生进行及时有效的教育，从远处着眼，从小处着手，力求达到最佳效果。

（浙江省温州市永嘉瓯北四小校长　缪星火撰写）

## 第三节　教育叙事

教育叙事研究就是研究者以叙事或者讲故事的方式记录自己在教育教学中发生的各种真实鲜活的教育事件和发人深省的动人故事，通过自己在实践中的亲身经历、内心体验来表达自己对教育的理解和感悟。它通常不直接定义教育是什么，也不直接规定应该怎么做，而是通过一个个故事，来展示研究者在教育过程中的经历和他在故事中的所思所想，从而让读者从故事中理解教育是什么、应该怎么做。教育叙事研究实质上是研究者在研究过程中的个体体验，是研究者个人通过故事言说的方式来实现自己对教育意义的建构。

叙事研究是最近几年在教育研究领域兴起的一种新的研究方法。这种方法的应用表征了教育研究日益从神圣的殿堂走向教育实践和教育生活，换句话说，就是教育研究日益走向大众化。

实际上，叙事研究在社会科学领域里并不是什么新鲜的事情，它很早就是文学理论研究中的一种常用方法。研究者用叙事的方式来阐述自己对文学作品中的人物和事件的理解，后来逐渐被引用到其他社会科学研究领域，为社会科学研究带来了新的活力。在日常生活中，人们更是被叙事所包围着，大多数情况下人们都是通过叙事的方式进行沟通、交流，了解世界。可以说，叙事是人们获得知识、了解世界的一种主要方式。

## 一、教育叙事研究的特征

叙事研究是以质的研究为方法论基础，用陈向明教授的话说，"质的研究就是以研究者本人作为研究工具，在自然情境下采用多种资料收集方法对社会现象进行整体性探究，使用归纳法分析资料和形成理论，通过与研究对象互动对其行为和意义建构获得解释性理解的一种活动"①。据此，我们可以将教育叙事研究的基本特征概括如下。

1. 从事叙事研究的教师本人既是研究的客体，也是研究的主体

在叙事研究中，研究者本人是研究的工具，因为他（她）长期体验教育教学的实际生活，在与学生的直接互动与交往中，发生了各种生活故事和教育教学事件。对这些事件，教师们通过观察、分析、反思，获得一些见解或解释性的意见。叙事研究把教师的经验置于中心地位，教师在对经验的反思中不断形成对教育意义、自身存在价值的认识，从而改善日常教育实践，获得内在发展。这就是行动者自身作为主体并直接介入其中的行动研究。②

2. 教育叙事研究是一种真实性和情境性的研究

叙事研究重在"叙说"，叙说者的故事一定是其本人在教育教学实践中的亲身经历，从校园和课堂生活出发，从真实教育事实出发，从自

---

① 陈向明．质的研究方法与社会科学研究［M］．北京：教育科学出版社，2000．

② 荣曼生．教育叙事研究：教师专业发展新路径［J］．湘潭大学学报（哲学社会科学版），2008（2）．

然教育情境出发进行研究，而不是从别人的经历中编制故事情节，因而叙事研究的显著特征在于其真实性。它是教师在教育活动中对实事、实情、实境和实际过程所做的记录、观察和探究，从而获得对事实或事件的解释性意见。尽管叙述中为了表达的需要，有时可能会增加一些文学性的成分，但这绝不是叙事研究追求的目的，叙事语言和情节都必须服务于真实性的需要，要能够再现故事发生的真实场景和冲突，要用第一手材料来记述故事发生的过程。所以也有人把叙事研究看成是一种"扎根研究"。

3. 教育叙事研究是一种反思研究

教育叙事研究虽然十分强调情境性、真实性和故事性，但叙事的最终目的是希望从教育事件中发现教育问题，并思考教育事件背后所隐含的教育意义，以为自己和他人今后教学提供更多的参考。因而，教育叙事研究不是简单地停留在"叙事"上，而是希望通过叙事来表达研究者本人对教育的理解，其反思性是不言自明的。也就是说叙事研究的落脚点在"研究"上，叙事是手段而不是目的。这也是作为一种研究形态的"叙事"与文学的"叙事"所根本不同的地方。

## 二、教育叙事研究对于教育的意义

从叙事研究的特征来看，它对教育的意义是非常明显的。第一，由于叙事研究的素材都是来源于教师日常教育生活，教师用第一手材料记述教育事件发生的始末及其在问题情境中所表现出来的智慧，因而叙事研究较好地记录了教学中所发生的许多有价值的教育和教学案例，既记载了被研究者——学生的成长经历，也记录了作为研究者的教师不断探索教育教学问题的历程。第二，教育叙事研究打破了传统规范研究的很多条条框框，具有非常强的操作性和实用性，不仅赋予了研究者更多的自由，而且也彰显了研究者自身经验的价值，因而，极大地调动了教师参与科研的积极性，促进了教育科研的大众化。第三，教育叙事不仅注重"叙事"，而且注重反思。教师写教育叙事的过程，就是对自己的教学活动进行全程监控、分析和调整的过程，是教师自我反思、自我培训、自我提高的过程，真正实现了"为自己的教学进行研究，对自己的教学进行研究，在自己的教学中进行研究"的目的。教育叙事研究可以把教师带入创新的、发现的、反思的生活中，有利于教师强化成功的教学技能，积累有效的教学策略，提升自己的教育教学理念，使教师从理性的高度去审视自己的教育教学行为。教师通过一个个生动活泼的教育故事不断发掘教育的意义，深化其自身对教育的理解，从而不断提高自己的专业素质和专业能力。

### 三、如何写教育叙事

教育叙事研究可以分为很多不同的类别，有教学叙事、生活叙事和自传叙事等，实际上，教育笔记和教育日记也是叙事研究的一种表现形式。不管是哪一种叙事形式，在写法上都有一些共性。第一，在选材上要注重事件的代表性。教师平时要注意培养自己的问题意识，要注意关注和收集教学中的"关键事件"，通过一个个关键事件的"叙述"达到研究的目的。第二，所叙述的教育故事具有一定的冲突性。教育叙事所选择的教育故事不是师生日常生活记录，更不是记"流水账"，而是包含着师生冲突的教学情境。正是通过这些冲突的化解来表达教师对教育的理解，否则，叙事研究就失去了意义。第三，叙述要完整和生动。既然是叙事，就要有一个从开始到结束的完整情节，要揭示故事中人物的内心世界，所以教育叙事要求教师要掌握一定的表达技巧，在语言上要避免枯燥和乏味，尽量使用生活化的语言来表述。同时，要将事件发生过程中，师生双方的感受、反应、教师在教育教学中的每一步行动准确地记录下来。第四，要突出教育性。教育叙事虽然采用了故事性的叙述手法，但讲故事本身不是目的，其意图在于通过故事来表达研究者本人对于教育的理解，因而，叙述中不仅要把事件的主要环节讲清楚，还需要有研究者对事件及其解决策略的评述。

[案例1] 教学叙事　　　别抢话　学会等待

　　在海口蓝天中学初二三班的数学课上，张老师和同学们正在一起探寻数学的奥妙。由于是初次接触杜郎口中学理念，张老师上课伊始参与的很少。也许是惯性使然，也许是不到台前去讲嗓子发痒、心里难受，课进行了不到15分钟，张老师终于按捺不住讲述的欲望，走上讲台，滔滔不绝讲评起来。张老师这边讲，学生那边出现了这样的情景：只见一个学习小组中的一位男同学双手托腮、目光呆滞，无神地望着窗外，似乎有所思，也似乎无所想；另有一个男生低头吃自己手指玩；当我问第三个男同学，老师让他干什么时，他却说不知道，只有剩下的一位女同学在无奈地听，也许是给张老师一点面子吧！这就是教师参与的结果，试问：这样的课堂效率如何呢？

　　通常人们好为人师，教师亦如此，有时更甚之。就像一位教师所说：每当学生说不到点子上或讲得不到位时，教师往往沉不住气，往往是：指点一番江山，激扬一番文字，可结果呢？如在初中二年级的一节语文课上，学生小彤在说"滋润万物时"时把"润"字读成了 yùn，但是她马上意识到自己读错了。没等教师开口，她已经抢到了话语权，因为她知道，她的语文老师好抢话，所以，这一次她比老师抢得快，只听她说到："同学们，刚才我读错了一个字，哪一位同学听出来了？"这时只见老师欲说无言，被噎在那里，可又不得不为小彤的机灵而叫好，只好说到"是啊，同学们，谁听出来了？"试想，如果不是小彤机灵，如果教师抢到了话语权，如果教师给学生纠正了，又会怎么样呢？小彤心里又怎么想呢？小彤今后的学习积极性是否会受到极大挫伤呢？可见教师一旦抢话，学生的自尊往往就没有了保障，学生的个性就难以张扬，学生的智慧更是无从谈起。所以，教师有时要学会"偷懒"，做一个智慧型教师，要学会等待，等待，再等待。等待不仅是一种智慧，更是一种美德。因为等待也是一种教育，有时是一种很好的教育。

（山东茌平杜郎口中学教导主任　孙玉生撰写）

**[案例2]　生活叙事　　　教师岗位分工风波**

暑假开始了，学校人事小组人员却开始讨论下学年的教师分工工作了。经过讨论，为了稳定发展，大部分教师的工作岗位不变，只对部分教师工作进行了调整，其中包括六年级数学教学。由于原来教六年级数学的刘老师身体不好，已向学校申请不教毕业班。学校考虑到她的实际问题，同意了刘老师的请求。但是，由谁来教呢？经过人事小组的反复讨论、权衡，最后定下由陈老师担任。会后，由主管教学的张副校长负责通知所有教师下学年的工作安排，并要求教师在假期做好准备。

两天后张副校长告诉我，即将担任六年级数学教学工作的陈老师不接受分工安排，原因是她儿子在她所教的六年级里，她儿子不同意她教自己。我对张副校长说，你做做她的思想工作，要她顾全大局，服从学校工作安排。数天后，张副校长说，没做通陈老师的思想工作。我心里有点不快，就对张副校长说，你叫她找我吧。我决定做通她的工作。原因一是这分工决定是经过人事小组讨论的，不能说变就变，对其他教师会有不良影响；原因二是目前学校找不到比她更合适的教师教毕业班了；原因三是她不教毕业班的理由有点牵强。

两天后的一个晚上，已经11点了，我收到了陈老师的短信。大意是说，她的儿子知道她要教他们班数学，反应非常大，说如果她妈妈教他数学，他就要转学。她儿子向来很内向、很固执、很敏感。为了他的儿子能够在六年级学得好一些，能够顺利毕业，特向学校请求不教六年级。除此之外，学校要求她做什么都行，都将尽力做好。

我收到短信之后，犹豫了。作为母亲，对自己儿子的要求怎会不考虑呢？何况是与学生学习有关的，又临近毕业时间？作为教师，她的请求也很诚恳，只要学校答应她这件事，她愿意服从学校的任何工作安排，她的请求也不太过分。不是说要以人为本吗？如果她不服从，内心不接受，也不会把工作做好。但转念一想，不行呀，数学课总共八位教师，有两位身体不好的，两位是刚毕业的，三位既担任数学教学又担任班主任和科组长工作（刚担任一年）。而且家长也曾强烈要求不要再变换教师了。（因为我们是新开办学校，每年有15位左右教师进校，所以教师的分工变动较大。）

另外，学校里教师子女很多，如果教师们都不愿意教自己孩子那个班级，以后还怎么分工？如果每位教师都对学校分工不满意，都有这样的请求，怎么办？想到此，我下决心说服陈老师。我拿起电话打了过去。这个午夜谈话竟长达近三个小时。这过程中我们既互相理解，又争锋相辩；既谈到她的过去，又谈到学校的发展；言辞既委婉又激烈。就这样，我们都想尽力说服对方，说到动情处，她竟然哭了。我想再这样下去，到天亮也不会有结果。于是我让她再好好考虑。在谈话过程中，我知道一个月前，她的母亲病了（她是独生女，她母亲退休前也是小学校长），住院那天，刚好是学校接受义务教育规范化评估当日，她不好意思请假，就让母亲自己去办理住院手续。我听了心里很感动，决定第二天和工会代表一起去探望她的母亲。

再后来，陈老师给我打电话说她接受学校工作安排，她会做好她孩子的思想工作。我心里总算一块石头落地。这事情过去快一学期了，陈老师担任的那个班级的学生、家长对她的评价不错，也没听到她儿子有什么不良反映。我经常反思这件事情：第一，我不知道当教师利益和学校利益或者需要发生冲突时，作为校长，我更应该考虑哪方。应该以教师为本还是以学校利益为本？第二，我在琢磨着陈老师后来怎么就答应了学校的安排了呢？或许当晚我们的深夜谈话触动了她，当晚我大多时候充当了倾听者，让她尽情地把她的过去，把她的苦闷，她对学校的建议，对校长工作的理解一股脑儿地倾诉出来。第三，或许是我们利用情感管理，我们去看望了她的母亲，通过对她母亲的关心而打动了她。

（广东省广州市天河区天府路小学校长　王晓芳撰写）

[案例3] 自传叙事　　　　我的学生喜欢我

对于教师来说，如果能与学生的感情交流达到水乳交融的境界，定会产生教育的最佳效果，这应是教师们共同追求的目标。如果我们总是凌驾于学生之上，必然无形中成为学生的对立面，无法走进学生的心灵，也无法与学生达到感情的沟通，更无法遵循现代教育"以人为本、以学生为本"的教育原则。

现代教育要求我们，要做一个合格的教师，必须进行自身人格魅力的铸造，不是把自己铸造成学生尊敬的"严师"，而是铸造成学生喜欢的"良师益友"。遵循这一教学理念，在多年的教学中，我注重教师行为，在细节上下工夫，得到了学生的拥戴和喜爱。

**一、我爱用幽默的语言**

有一次，讲完一道例题后我让学生做练习，多数学生已经做了好几道了，可还有一些学生没有开始做。我就说："我发现咱们班有好几个'奥特曼'。"一听说"奥特曼"，学生特别有兴趣，有的学生很奇怪地问我谁是"奥特曼"。我说："我布置完作业后，有些同学已经快写完了，可有几个同学还没有动手呢，你们说他们的动作是不是特别慢呀?"同学们齐声说："是——"他们把声音拖得很长，我就顺手在黑板上写出"噢，特慢"。同学们都笑了，那几个同学的脸红了，动作却加快了。

**二、我会"拍马屁"**

我发现低年级的学生对老师的情感是复杂的。他们有时会情不自禁地在你面前撒娇；有时又极力地隐藏缺点，表现出优秀的一面，生怕你不喜欢他。他们围着老师转，很想引起老师的关注，想尽办法把他们的绝活全都拿出来在老师面前"耍"。我发现了他们的这个秘密。于是，下课后虽然教室很吵，我还是尽量留在教室里。这时，这些小"马屁精"们就开始在我的面前大献殷勤，替我收拾作业本，帮我捶背，更有甚者还摸摸我的手，捏捏我的耳朵，有的还咯吱我，那份美就甭提了。我逗他们说："我要是有你们这样的儿女多好啊！"——他们更卖力了。我又陶醉地说："当皇帝的感觉真好呀！"他们便笑做一团。说实话，这帮小家伙也喜欢我拍他们的"马屁"呢。这样，我们都很快乐！

### 三、我喜欢运动

我喜欢运动。每当我在运动时，身边总是围了几十个啦啦队员为我加油。他们对我的一切是那么关注，我也不由地把自身的特长都表现得淋漓尽致，尽情施展自己的才华，努力使自己的形象更高大。说实话，有了这么多热情的小观众，我的运动水平也提高不少。渐渐的，有的学生也开始加入运动的行列。我的很多同事都很羡慕我，但有的说我太娇惯他们了；也有的说："你都快四十的人了，咋还像个小孩呢？"其实我是在享受学生们带给我的快乐，同时我也对"为人师表"四个字有了更深的理解，教师自己的一言一行都要给学生做一个表率，达到"此时无声胜有声"的境界。我要把我人格的魅力、能力、全部的知识和才华展现给我的孩子们，让他们去学习、模仿、超越吧！

### 四、我很宽容

周弘有句名言："优点不说不得了，缺点少说逐渐少。"学生身上有些小毛病是很正常的事情。有些教师习惯揪住学生的小辫子不放，今天出点小毛病就把以前的问题全拿出来数落一顿，认为新账老账一起算，让学生觉得很丢人才能受到教育，才能长记性。而这样做反倒使小毛病放大，变成大毛病，容易让学生陷入毛病的旋涡，丧失改掉毛病的信心。有的教师见到家长就打小报告或纵容家长打孩子，这些做法容易使学生形成自卑、胆怯的心理，也是造成学生撒谎、厌学的主要根源。

我和家长交流时主要谈方法，引导他们用科学的方法教育自己的孩子，遇事多让家长找找自身的原因和其他实际情况，客观地看待孩子身上出现的问题，多表扬、多鼓励、多理解；少批评、少训斥、少抱怨。

宽容架起了我和学生心灵沟通的桥梁，宽容是净化学生心灵的一次契机，是爱的教育的生动体现，它比单纯的传授知识更能打动孩子们的心灵。

很多家长告诉我：我的孩子很喜欢你，把你说的很多话经常学给我们听。有的说：我的孩子很崇拜你。说真的，学生对我的爱，就是对我最高的奖赏。

有时无声的教育远胜过大声的训斥和严厉的责罚，教育的过程应该像春雨——润物细无声；像春风——虽然柔和，但有不可抗拒的生命力。我要让爱像春雨滋润学生的心田，让爱的种子在学生心田里生根发芽；我要让人格的魅力像春风一样吹开学生智慧和情感的大门，让他们能沐浴到春天的阳光，让他们的身心健康成长。

（河南省洛阳市涧西区景华实验小学　李自明老师撰写）

**[案例4] 教育日志　行动——无声的领导力**

2008年8月26日上午，我接到教育局的通知，调任潍州路小学校长。上任之初，困扰我的问题挥之不去：这所全区唯一的百年老校，6年前是何等辉煌，仅仅6年，在全区已是"前有标兵，后无追兵"，原因何在？

9月1日开学了，早上，我早早地来到了学校。7:10，我站在大门口，微笑着和所有的教师点头打招呼。看得出个别教师吃惊的表情：校长来了？来这么早？当然我也吃惊——开学典礼开始了，还有教师才进校门……

9月2日，我依然是7:10站在门口微笑着打招呼，教师们来得早的明显多了，更多的教师在互相问：校长几点钟到的学校……

9月3日，我依然……教师早来的明显更多了，明显早了，7:10前已到校多半，教师们在互相打听：学校规定几点钟到校……

9月4日，我继续……绝大多数教师在我来之前签到了。德育主任悄悄找到我："校长，老师们问'学校规定早上几点钟到校？7:10来太早了'……""谁规定的七点十分呀？""……可老师们说校长每天来这么早，大家不好意思……"

9月5日，我坚持……所有的教师在我来之前签到结束。同时，我也看出了老师们的紧张和疲惫。

下午全体教师会，讨论四个话题：

1. 学校一周的变化。老师们争相发言：校园干净了，卫生整洁了，路队整齐了，工作效率高了，没有教师迟到了，提前候课的教师多了……

2. 为什么会发生这么大的变化呢？我让老师们用一个词来表达，全体老师不约而同地说出了"行动"这个词，那么整齐，那么一致。

3. 如果在"行动"一词前后加上不同的修饰词，还可以怎样评价这一周的工作？于是"领导带头行动"以最高票当选。

4. 累吗？——累并快乐着……

眼前这一张张热情洋溢的脸，让我的心底忽然涌起一股收获的甘甜：

"早到"只是一件小事，但从中却可以折射出一份崇高的情怀——对事业、对学生尽职尽责的强烈的责任心！

怎样"早到"？处理起来，也是简单又简单的，可以采用行政命令——新校长上任，执行起来一定会立竿见影的；可以运用制度约束——政令面前人人平等，操作起来不会有太大问题；还可以如我一样，只是"早到"，依然早到，继续早到，坚持早到……于是行政命令、制度约束变成了教师们主动自觉的自我约束——7：30之前到校，没有怨尤，没有懈怠！

何以如此呢？我想到了一个常常在脑海里萦回的词——引领，我还想到了许多可以诠释我的感受的语句："一打纲领，不如一个行动""桃李不言，下自成蹊""给我上，不如跟我上"……

于是，心底的一份顿悟跃然纸上：作为教师群体的"班长"，怎样才能成为学校发展的"领头羊"？怎样才能成为教师队伍"平等中的首席"？怎样才能成为一个优秀的校长？——坚守着"行动——无声的领导力"的信念是必由之路！

（山东省潍坊市奎文区潍州路小学校长　王秀芹撰写）

# 第四节　教育研究报告

　　研究报告是教育研究成果的主要表现形式之一。在以往的中小学教研活动中，研究报告并没有受到应有的重视。因为，研究报告一向被看成是一种比较学术化和规范化的研究成果表达形式，是专业研究人员的事情，对于以个体反思研究为主要形式的中小学教师来说，还不是特别的需要。但是，随着中小学科研活动的深入开展，特别是学校和教师研究课题的增多，如何写好研究报告就成为中小学教师必须要掌握的专业技能了。

　　实际上，写研究报告就是研究过程的一部分，研究者将自己在研究中的思考和发现以比较科学和规范的方式表达出来，对研究者来说意义是巨大的。第一，写研究报告可以使研究者的思维进一步清晰化；第二，研究者将自己的成果整理出来，可以很好地记载自身参与教育研究的经历和专业成长的过程；第三，教育者将自己的研究过程和研究发现表达出来，有助于同行之间进行交流；第四，好的研究报告可以通过报纸杂志等途径进行发表，有利于教育教学改革与发展的推动，从而也提高研究者的成就感，激发研究者持续研究的兴趣和动力。

　　研究报告作为比较正式的、规范的研究成果表达形式，可以分为很多种形式。主要包括教育经验总结、教育考察或调查报告、教育实验报告和学术论文等类型。不同类型的研究报告，写作的格式和内容也存在一定的差异，但不论是什么类型的研究报告，大致都要具备以下几个方面的特征。

　　第一，科学性。研究报告是在科学的研究过程中产生的，因而，研究报告中使用的材料不是研究者个人的主观感受，而是要以客观事实为基础的。这就要求研究者在研究的过程中使用科学的研究方法和研究工具，从事实出发收集材料，从而得出相对科学的结论。科学性是研究报告的基本要求，也是研究报告的价值基础，缺乏科学性的研究报告对于教育实践来说是没有任何指导意义的，有时甚至会误导教育实践。

第二，学术性。无论是专业研究人员所做的研究报告，还是广大中小学教师所做的研究报告，都必须具备一定的学术性。所谓学术性就是要求研究报告必须建立在一定的教育教学理论基础上，研究中所涉及的概念应该有明确的界定，研究对象和研究问题是清晰的，在逻辑上是通顺的，不能出现自相矛盾的说法。研究者所得出的研究结论是基于客观事实所做出的一种判断，而不是研究者个人的主观臆断。此外，研究报告的学术性还表现在研究框架上的完整性和见解的独创性。

第三，规范性。作为一种比较正式的成果表达方式，规范性是研究报告的基本要求之一。不同类型的研究报告在写法上的要求不尽相同，研究者在写作过程中应该遵照相应类型研究报告的基本结构和程序，比如调查报告怎么写、实验报告怎么写、一般的学术论文怎么写都有比较明确的规范。此外，规范性还表现在该研究采取了何种方法、运用了哪些研究工具和数字处理技术、引用了哪些文献、采用了什么样的问卷和访谈提纲等，都必须清晰地加以说明。

第四，应用性。教育研究的重要特征就是它的应用性。作为教育研究的成果，研究报告当然要体现为教育实践服务的精神，这一点对于中小学教师来说尤为重要。由于中小学教师的研究都是针对自身教学实践中的问题而产生的，因而，研究报告在选题、研究对象、研究内容上都应从自己工作领域中进行提炼和界定，选择那些与教育改革密切相关，又是自己在教学中所遇到的难点和重点问题进行研究，以真正为改善自己的教学，提高自己的教学效能服务。

下面简要介绍几种中小学教师常用的研究报告的结构和写法。

## 一、经验总结报告

经验总结是中小学教师最常用的一种研究成果表达形式。所谓经验总结就是对教育活动中比较典型的事件进行分析、概括和整理，形成的较为系统的、合乎逻辑的认识。经验总结也是一种研究报告，虽然不如调查报告、实验报告和学术论文那样规范和严谨，但它具有很强的可操作性、实践性和概括性，也是中小学日常教育科研成果交流中最主要的形式之一（具体案例见附录一）。

以经验总结的形式进行教育研究所产生的巨著力作历史上并不少见，如我国教育经典著作《学记》和《论语》等，都是古人对教育经验的总结。我国近代的一些著名教育家如陶行知、陈鹤琴等，国外的著名教育家如裴斯泰洛齐、苏霍姆林斯基等都是在不断总结教育经验中形成自己的独特的教育思想和理论体系。

经验总结在写作形式上比较多样，有以时间为顺序的，也有以事件为基础的；有描述性的，也有论述性的，但基本上都包括三大部分：标题、正文和落款。①

**1. 标题**

经验总结的标题可以直接描述，如，提高学生的写作能力点滴谈、学校校本课程开发的体会，等等；也可以提出一个观点，再加上一个副标题说明观点的来源，如，因地制宜是校本课程开发的关键——光明小学校本课程开发的经验。

**2. 正文**

正文是经验总结的核心内容，主要包括基本情况概述、主要做法与取得的主要成就、存在的问题或教训、今后改进的设想。

**3. 落款**

落款包括署名和日期。如果是个人总结，署名既可以写在标题之

---

① 张建. 研究报告撰写指导 [M]. 北京：教育科学出版社，2005：102.

下，也可以写在文章的最后。如果总结是以单位的名义写的，则标题之下只写单位名称，作者姓名通常以执笔人的身份写在文章的最后。由于经验总结都带有很强的时效性，所以，写作日期一定要明确，一般都放在文章末尾，姓名的后面。

写经验总结时，要注意以下几点：一是要善于以小见大，二是要观点鲜明，三是以事实说话，四是事例和人物要典型，五是要有时代感，六是要有一定的创新性。

## 二、教育调查报告

教育调查报告一般由标题、前言、正文、结论或建议、附录五个部分组成（具体案例见附录二）。

### 1. 标题

调查报告的标题通常有三种写法。一是以调查对象和主要问题作标题。如，北京市海淀区打工子弟学校情况的调查、某县初中辍学率的调查，等等。二是直接用研究者的观点作题目，用副标题的方式说明调查的对象，如"教师参与学校管理是提高学校教学质量的重要途径——某中学学校管理状况的调查"。三是用提问的方式写标题，如"学生学习积极性不高的原因何在？""学校安全隐患有多少？"等等，这些主标题下面也可以加上副标题来说明调查的范围或对象。总之，调查报告标题的写法比较多，但是一定要简洁，要突出调查的问题。

### 2. 前言

前言是调查报告中比较重要的部分，它的目的是要向读者说明调查的起因和意图、调查对象和范围、调查的筹备过程等。因此，在前言中，研究者要简要地交代调查的背景、缘由、目的、意义，调查的对象、内容、时间、地点、调查过程中使用的方法和工具，以及抽样的方式等，对调查中遇到的问题也可以在前言中做些说明。

### 3. 正文

正文部分是调查报告的主干，在结构上通常有三种形式，即纵式结构、横式结构、纵横交错式结构。纵式结构就是按照事物发展的脉络和历史顺序来叙述事实，阐明观点。这种结构有利于说清问题的来龙去脉，便于读者了解问题的全过程。横式结构就是把调查的事实和形成的观点，按照不同性质或类别分成几个部分，并列排放，分别叙述，从不同的方面共同说明主题。这种结构的优点是，问题展得开，论述较集中，而且条理清楚，观点突出。纵横交错式结构就是纵式结构和横向结构的结合使用。这种结构一般有两种情况：一是以纵为主，纵中有横；二是以横为主，横中有纵。纵横交错结构的优点在于，既有利于按照历史脉络讲清楚问题的来龙去脉，又有利于按问题的性质、类别展开深入的论述。①

### 4. 结论或建议

根据调查得来的数据和材料，概括出主要结论，有时候还可以根据需要提出一些改进建议。结论在写法上没有特别的要求，主要是注意客观性，要根据调查得来的事实进行概括和抽象，使结论部分与前面的调查保持高度一致，而不能凭研究者的主观臆断，以防止出现调查事实与结论脱节的现象。

### 5. 附录

附录部分一般用来说明调查报告中所用到的相关工具，如问卷、量表和访谈提纲，以及便于读者理解调查人观点的原始材料，包括一些数据、访谈录音整理等，主要目的是帮助读者进一步了解调查情况和判断

---

① 李方. 现代教育研究方法 ［M］. 广州：广东高等教育出版社，2004：358 - 359.

调查的科学性。

撰写调查报告时要让事实说话，不宜过多引申和发挥；使用调查资料时要注意点面结合，既要有典型事例，又要有反映总体情况的材料；在文字叙述上要准确、简练、朴实、生动，对事件的描述切忌"添油加醋"；阐述观点时要言简意赅，不宜使用生僻词汇和华而不实的语言；在表达方式上要简明扼要，文字、表格和图标结合使用，能够用表格来说明的尽量不用文字，能够用图来说明的尽量不用表格，力求直观，使调查情况一目了然。

### 三、教育考察报告

上面所说的是比较规范的调查报告，实际上，还有一种与调查报告比较近似的研究报告形式，通常我们称之为"考察报告"。从广义上讲，考察报告是调查报告的一种形式，只不过对于一线教师来说，写考察报告的要求不像正式的调查报告那样规范和严格。随着各地教育交流的日益频繁，教育考察已经成为学校和教师之间相互学习的重要方式。因此，写好考察报告对于中小学教师来说也是非常必要的（具体案例见附录三）。

教育考察报告，是根据教育实践的需要和预期的目的，运用观察、测量、采集、询问等调研手段对有关教育问题进行研究后写出的书面报告。它由教育研究人员亲临现场，如实地记录和描述对某一研究课题的观察和调查所得到的事实材料和研究结论。①

教育考察报告与教育调查报告既有一些共性，也存在一些不同。比如，两者都强调研究者亲临现场，都需要收集第一手材料；但教育调查报告与教育考察报告也有一些不同。第一，教育调查报告更多的是问题指向的，即研究者是带着问题进入现场的，而且在调查对象的选取上强

---

① 朱济湖.教育科研·教育科研实用写作［M］.长沙：湖南大学出版社，2001：238.

调其在整体样本中的代表性；而教育考察则是学习指向的，有点类似于从他者的角度所做的经验总结。大部分教育考察报告都是为了学习被考察对象的先进教学经验或管理经验，因此事先并没有明确的问题指向，如果有问题也是在考察中发现的。教育考察在对象的选择上更强调其特殊性和典型性。第二，教育调查报告在调查方法和工具的选择上要求较为严格，而考察报告更多的是基于考察者个人的所见所闻，没有太多方法和工具的限制，比较随意一些。第三，教育调查报告在写法上强调用事实和数字说话，研究者的描述要尽量客观，不可掺杂太多的个人好恶。而教育考察报告多属于考察者的个人感受，因而个人发挥的空间较大。

考察报告在结构上主要包括以下几个部分。

## 1. 标题

考察报告的题目一般来说都是开门见山，可以直接说明考察的地点，也可以直接说明考查的内容或对象。比如上海闵行区义务教育考察报告、山东杜郎口中学考察报告、北京一师附小"愉快教育模式"考察报告。有时候，考察者为了吸引读者的注意力，通常将主标题以一个鲜明的观点来表达，而把考察内容或对象以副标题的形式加以说明。比如，信息化是促进城乡教育均衡发展的有效途径——山东寿光基础教育均衡发展考察报告，等等。

## 2. 引言

引言部分主要交代考察的时间、地点、目的、参加考察的人员等。

## 3. 主体部分

主体部分是考察报告的核心，主要记述考察者在考察过程中的所见所闻和所思所想。主体部分的写作切忌走马观花，记流水账，要注意逻辑顺序，把握重点，线索要清晰。

## 4. 结尾

教育考察都是带有一定目的的行为，因此，在考察报告的结束部分应该概括性地对考察的内容做一个小结，包括对考察对象做一个总体评价，然后提出对改善自身教育实践的启示。当然，考察者有时候也可以根据看到的情况提出一些讨论问题，这样可以有助于对考察情况进行深入思考，避免盲目模仿别人的经验。

考察报告的写法有很多种形式，可以根据考察对象和考察者自身表达的需要进行调整。但不论采用何种表达形式，考察报告在写作上必须遵照被考察者的实际情况，要用第一手资料；要注意点面结合，既要有整体描述，又要突出重点。在考察材料的呈现方式上要力求直观、简练，多采用图表与文字结合的格式，力求图文并茂。叙述要把握分寸、言简意赅、形象生动，不宜使用夸张和比喻等文学笔法，少夸张、渲染，尽量客观描述。

## 四、教育实验报告

随着课程改革的推进，一些新的教育方法和手段不断被引入到课堂中。教师参与新教材、新方法实验的积极性也越来越高，教师不仅要学会做教育实验，还需要把自己的实验过程和实验结果准确地表达出来。

从研究的角度来说，实验研究被认为是最科学的方法之一，它也成为衡量一个学科是否科学的标准之一。在自然科学领域，通过实验获得的结果往往是最令人信服的，换句话说，如果一个结论不能用实验的方法来加以证明，其科学性都是要大打折扣的。在教育科学领域，教育实验方法的产生一直被认为是教育科学化的重要标志。从这个角度来说，撰写教育实验报告需要有比较严谨的科学态度，实验报告中所反映的问题和结果，完全是实验过程中所获得的东西，不允许有丝毫外加的成分。不管实验结果能否达到研究者最初的愿望，能否验证实验假设，实验报告都必须客观、真实。

实验报告从结构上看主要包括题目、前言、方法、结论、讨论、参考文献和附录七个部分。

### 1. 题目

题目是研究报告的主题思想，必须能准确、清楚地呈现出研究的主要问题。因此，实验报告的标题常常直截了当地指明研究所涉及的主要变量及其相互关系，使人对研究问题一目了然。比如，多媒体与教师教学效能关系的实验研究。一般来说，准备发表的实验报告，在题目上要进行锤炼和推敲，既要精确严谨，又要具体明确，引人注目，必要时可以采用副标题来突出研究内容。

### 2. 前言

前言也称引言和导语，是实验报告的正文开头部分，包括四个方面的基本内容：（1）问题的提出。前言中必须说明研究者为什么要做这样的教育实验，背景是什么，要解决什么样的问题，有何价值和意义等，其目的是引起读者对研究问题的关注。（2）以往类似研究的情况如何，有何重要结论或发现，存在哪些问题，对本实验研究有何启示，等等，实际上等于一个比较简略的文献综述。（3）研究的目的和假设。通过实验研究，要解决哪些问题，提出哪些假设等，都需要在这一部分中予以说明。（4）关键概念或名词、术语的解释。为了使研究的边界更清晰，也为了方便读者更为清晰地理解研究的过程和结果，研究者对实验中涉及的一些重要概念或名词术语都要给予特殊的说明，或者给出一个操作性的定义。

### 3. 方法

实验是否有价值、能否取得预期效果往往在很大程度上取决于方法的选择。研究方法运用合理、过程设计精密、操作得当，研究的结果自然会让人信服，反之，实验结果就会失去价值。同时，对方法的说明还可以为同行评价实验结果的真实性和可靠性提供依据，也便于他人用同样的方法进行重复或模仿实验。

　　方法部分主要说明被试的选择、试验组和控制组的安排、自变量的确定和实验条件的控制方式、实验的程序和步骤、地点和时间的安排、实验数据的记录方法和处理技术、实验中所用到的量表和问卷，等等。

### 4. 结论

　　实验结果的表述是实验报告的核心内容。研究者须将实验中所收集到的数字和材料以特定的逻辑方式呈现出来，并对资料进行分析处理，得出实验结论。在写作上，研究者应力求以准确无误的数据来说明问题，不能用别人的数字和研究结果，也不应该有过多的研究者的主观评论，要让事实说话，保证结果的真实性和客观性。在数据和材料的呈现方式上，要注意将图表和文字结合起来使用，并注意图表的编辑方式，力求直观、准确。

### 5. 讨论

　　讨论部分主要是对实验结果的反思。在很多情况下，对实验结果的解读都是仁者见仁，智者见智。由于读者对研究的过程并不十分清楚，特别是很多可能对研究结果产生重要影响的细节性东西未必都能在研究报告中呈现出来，为了方便和引导读者理解研究结果，研究者可以从自身的知识背景和研究中的发现出发，对一些相关问题和结果进行一定的引申，帮助读者理解实验结果。此外，实验过程中也有可能会遇到许多研究者本身也感到困惑的问题，比如实验结果与实验假设之间的不一致、资料收集中的困难、数字处理中的误差、研究和结论的局限性等都可以在讨论中加以说明。

　　讨论与结论是有区别的。结论是基于实验所收集到的数据而得出的客观判断，不可随意增添和引申，而讨论则是研究者的主观认识和分析，是研究者本人对研究过程和研究结果的理性认识，可以做一些引申和发挥。

### 6. 参考文献

这一部分主要列举实验报告写作过程中参阅的文献资料，目的是反映这项实验是建立在哪些研究基础之上的。参考文献通常是最容易被忽略的地方。但实际上，这一部分内容也非常重要。参考文献就是研究报告的素材，因而其水平和权威性直接决定了研究报告的质量。所以，研究者在查阅文献时一定要对文献进行选择，尽量使用质量比较高的权威文献。识别文献的权威性有两种比较简单的方法：一是在百度或期刊网上直接将作者的姓名输入查询，检索他在此方面的研究状况；二是根据文献的来源进行判断，一般来说，发表在级别比较高的正式刊物上的文献，其权威性也相对较高。

### 7. 附录

这一部分主要呈现实验中所使用的工具，如问卷、量表、访谈提纲和一些不必要放在正文中的其他材料，以使读者更为清晰地了解实验的过程和手段，判断实验的规范性与科学性，以及结论的可信度。

在很多时候，实验不是一个人能完成的，需要许多人的支持和合作，因而，在实验报告结束时，研究者可以以"致谢"或"后记"的方式来向所有参与和支持实验的人员表示感谢，这也是一份完整和规范的研究报告所不可缺少的一部分。

## 五、科研论文

尽管科研论文不是教师科研的目的，但是写科研论文本身有助于训练教师的思维水平，提高教师的科研能力。所以，当前很多中小学都把教师发表科研论文作为衡量教师专业水平的重要标准之一，甚至将教师发表科研论文的数量和层次作为教师晋职加薪的重要依据。虽然这些做法还存在一些值得商榷的地方，但鼓励教师积极从事科研，并把自己的研究成果呈现出来，不仅有助于教师科研积极性和科研能力的提高，而且对于扩大教师科研成果交流的范围，让更多的同行分享科研成果也具有极其重要的作用。

科研论文写作一般包括以下几个方面的内容。

1. 标题

科研论文的标题既可以直接陈述研究内容或研究问题，比如，"论研究型教师的素质及其培养途径""浅论教育的确定性和不确定性""论生成性课程事件的捕捉与利用"，等等；也可以是一个观点，比如，"反思：研究型教师必备的核心品质""教师成为研究者：新课程的教师角色期待""学校文化：薄弱学校改进的突破口"，等等；有时候还可以加上副标题对主标题内容作进一步的说明和界定，比如，"论教学内容的不确定性：知识观转型对教学内容重建之启示"，等等。好的科研论文标题应该比较简洁、观点鲜明或者问题突出，在语言表达上要有一定的冲击力，能一下子吸引读者的注意力。比如，笔者的一位学生写了篇文章，题为"关于长兴教育券的政策研究"，我告诉她这样的题目太平淡，建议修改，第二次她把题目改为"教育券政策的理论模式和实践问题——基于长兴的案例研究"，这个题目太大，也比较呆板，经过讨论，第三次她把题目改为"教育券政策的理想蓝图与实践困境"。这个题目不仅准确地反映了作者要研究的主要内容，而且在表达上也比较鲜活，有较强的冲击力。所以，论文完成以后，如果研究者希望能够发表，就要在标题上认真揣摩，力求简洁、通顺、抢眼。

2. 内容提要

内容提要的目的是让读者用最少的时间来理解作者的意图和要表达的主要思想。因为很多情况下，读者并不需要了解研究者的研究过程，他只想看到研究者对这个问题的主要看法。所以，内容提要要力求最为准确和简要地表达全文的核心思想和主要观点。另外，从投稿的角度来看，这也是方便编辑审稿的需要。编辑每天都会收到上百篇的文章，他不可能每一篇都认真、仔细地通读。一般来说，很多杂志的编辑在看全文之前，都会先看提要，如果提要中的观点不突出、没有新意，基本上就不会再往下看了。所以，写好提要非常关键。提要的字数最好控制在300字以内。

### 3. 关键词

关键词也称主题词，是反映文章核心内容的概念或术语，其目的是为检索文献服务的，读者能够以关键词为线索来快速、准确地在期刊网或其他资料库中找到该篇文章。关键词的用途和目的往往没有得到论文写作者的高度重视，特别对于一线教师来说，更是如此。一些教师通常在论文完成后，随便从标题中截取几个概念做关键词，使关键词成为一种形式，并没有反映文章的主要内容。比如，有教师在写作题为"提高教师课堂教学有效性的对策与思考"时，将关键词确定为"教师""教学有效性""对策""思考"四个词。这样直接从标题中选择关键词，无法反映作者的研究内容和主要观点，因为标题中带有"对策"和"思考"字眼的文章不计其数，同时，它们本身也不能反映研究者的主要研究内容和观点。合理选择关键词要根据文章的内容和观点，比如，研究者在提高教学有效性的建议中，提到了一种比较重要的教学方法"分层教学"，并且作者对此概念的内涵和实施方法进行了详细的解说，在文章中占的篇幅也比较大，那么，"分层教学"这个词就理所当然是文章的关键词，即使在标题中没有出现。所以，对于关键词的选择要慎重推敲，不可随意或任意为之，应该对文章中的核心概念或术语进行提炼。此外，关键词必须是规范的、准确的科学名词或术语，不能使用非规范的或者是作者自己杜撰的词汇。

### 4. 论文主体部分

科研论文可以分为很多种，比如，哲理性的、事实性的和综合性的，等等，论文主体部分的写作往往因论文的类型不同而有所不同。但也有一些比较一致的地方，比如都要求概念统一、观点鲜明、结构严谨、论证合乎逻辑、语言表达流畅，等等。

### 5. 引文注释和参考文献

引文和参考文献是文章的材料，好材料是好文章的基础，所以，研究者在引文和参考文献的选择中，一定要注意其权威性和代表性。关于这一点，前面已有说明，此处不再赘述。参考文献的呈现要注意遵照学术规范，要按照杂志和书籍中的通用体例来进行编辑。目前在文献编辑规范上主要参照国家标准 GB 7714－87《文后参考文献著录规则》排写格式，下面分中英文分别进行简要介绍。

（1）中文类文献编辑格式

期刊文章，比如，袁振国. 政策型研究者和研究型决策者［J］. 教育研究，2002（11）.

报纸文章，比如，张翰. 特色学校的内涵解读［N］. 中国教育报，2004－12－10（8）.

著作类，比如，中国教育与人力资源问题报告课题组. 从人口大国迈向人力资源强国［M］. 北京：高等教育出版社，2003：180－197.

译著类，比如，藤田英典. 走出教育改革的误区［M］. 张琼华，译. 北京：人民教育出版社，2001：23－25.

学位论文，比如，刘精明. 国家、阶层群体与教育：教育获得的社会学研究［D］. 北京：中国人民大学社会学系，2003.

（2）英文类

期刊文章，比如，HEWITT J A. Tchnical services in 1983［J］. Library Resource Services，1984，28（3）.

著作类，比如，JAMES S. COLEMAN. Equality and Achievement in Education ［M］. New York：Westview Press，1990.

当然，并非所有的杂志都是按照这样的体例要求，也有一些杂志目前仍然采用传统的文献编辑方式。所以，作者在投稿之前，最好先选择某本杂志查看其编辑格式，再按照此类杂志要求重新规范引文或文献。

需要特别指出的是，作为研究型教师，论文写作一定要遵守学术规范的要求，引用别人的观点必须准确地注明出处，否则就会犯"剽窃"的错误；同时，尊重别人研究成果、规范使用文献，也是研究型教师应该具备的素质。

**思考题**

1. 怎样评价一个教育案例的好坏？
2. 怎样写好教育调查报告？
3. 科研论文写作中要注意哪些问题？

# 附录一　经验总结报告

## 行为更进　交替引领　整体提高

——北京市育翔小学校本教研策略的思考①

**（总体情况描述）**

扎扎实实地做好校本教研，实实在在地提高教师的研究能力，是我校多年来形成的良好教研氛围。然而在开展校本教研的过程中，我们对于实施校本教研的目的却有着一个由浅到深的认识过程。

在以往的教研活动中，我们认为，组教研只要呈现出精彩的好课、对其他教研组有启发、借鉴作用就可以了。而对于研究过程中每位教师的作用、位置、收获考虑的不够充分。这种片面追求精彩课例，忽略研究过程的做法，导致在组研究活动中，往往只有承担任务的教师及教研组长压力较大，同组其他教师虽然也跟着听课、评课，但总体处于被动参与的状态，形成了承担任务教师独立备课、反复试讲、教导处领导疲于听课、评课的状态，最后，教学研究成了学科主管与任课教师的单项互动行为。一次研究课结束后，承担任务的教师虽然在反复备课、试讲中得到了充分的锻炼，但精神压力、身体消耗较大，教学进度受到影响，同组其他教师收获甚微，没有达到以课例研究促教研组发展的目的。

随着课程改革的不断深入，我们对于实施校本教研的最终目的有了更进一步的思考。教研活动是为了追求几节精彩的好课、打造一两位骨干教师，还是努力促进教师队伍整体的教研能力、教学水平的提高？经过不断地学习、反思、讨论，我们对于开展校本教研的目的达成了共识，即校本教研要以教师为研究主体，以课程实施中教师面临的各种问题为研究对象，以营造一种研究文化，建设一种学习型组织，促进学

---

①　北京市西城区育翔小学杨东燕副校长供稿。全文有删减。括号内文字为笔者所加。

生、教师、学校的发展为最终的目的。

**（具体做法）**

基于以上认识，我们以课例研究为突破口，对组研究课的操作流程进行了调整，具体的操作步骤如下。

第一步：制订教研计划，确定研究目标；

第二步：搜集相关资料，组内集体学习；

第三步：个人独立备课，确定研究流程；

第四步：依次课堂实践，多次集体反思；

第五步：推出组研成果，接受学科评议；

第六步：组内再次反思，形成研究结果。

在这样的研究过程中，教研组内的每位教师都经历了一次"学习—实践—反思—再实践—再反思"的研究过程，走过了一个教研活动的完整过程，克服了以往教研中"单兵教练""各自为政"的问题，使得同组教师在研究过程中找到了契合点，形成了这位教师在实践中出现的问题，会被那位教师在实践中纠正，这位教师的成功设计，又被下一位教师在实践中共享的良好教研氛围。同组教师正是在这样一个不断改进、不断探究的教研过程中，逐步提高了反思的自觉性，促进了教育教研不断向前发展。

在近几年的教研活动中，我们以课例研究为突破口，以组内全体教师的主动参与为显著特点，关注教学方案的形成过程，有效地实施了"行为更进式"的教研活动策略。

所谓"行为更进式"的组内教学研究活动，是指学科教研组在进行课例研究的过程中，组内的每一位成员经过独立备课、教学实践、组内研讨，而最终形成代表组内集体研究成果的教学实施方案的实践活动。

"行为更进"这一校本教学研究策略的主要操作流程是：生成主题——资料研究（文本及相关资料）——第一份教案——第一次课堂实践——第一次组内研讨——第二份教案——第二次课堂实践——第二

次组内研讨——第三份教案——第三次课堂实践——第三次组内研讨——形成最终教案——汇报成果——接受学科评议——组内反思。

在这个操作流程中，每一份教案的产生都是组内承担任务的教师在集体研究的基础上独立生成的，而后面生成的教案又是在前一份教案实施的基础上经过集体研讨后产生的。这样一来，每一位教师都有机会、有责任将自己对教材的理解、对课堂教学的把握呈现在全组教师面前，从而为每位教师的深度参与研究活动创造了条件。

从表面上看，这样的校本教研是以课堂中教师的教学行为更进为目的的，但其内核在于提升了每位教师的专业智慧。在更进教学行为的过程中，每位教师都经历了不断吸纳同伴优势，反思自己不足的过程，而每位教师的实践又都是在同伴实践的基础上进行的，最终的研究成果（课例）是集体智慧的结晶。

这样一来，教师的实践不是简单地次数与内容上的重复，而是在不断学习、反思的过程中，不断积淀和生成新的智慧，获得了个人的专业发展。这也正是我们开展校本教研的理想追求。

**（主要成就与经验）**

例如，我校语文学科四年级组在研究《爬山虎的脚》一课时，其研究过程就充分体现了这一点。

在第一位教师实践之后，同组教师在反思中感到，课堂实践中对于"爬山虎就是这样一脚一脚地往上爬"这一教学难点的突破方法不妥。教师只是注意了引导学生从文字表面去体会，方法不够直观，因此部分学生出现了理解上的偏差。有了这样的一次研讨，第二位教师在实践中改变了教学策略，引导学生通过品读描写爬山虎的动词，再配上动作表演进行体会。一节课下来，教师们感受到，这节课虽然克服了上节课讲解枯燥、抽象的问题，却反映出一些学生在做动作时不够准确，脱离文本内涵的倾向。于是，几经讨论、修改，最终确定了先由一组学生进行动作表演，教师引导全体学生根据表演情况与文本进行对照评议，再引导全体学生做动作来体会的教学方法。这样一来，既向学生渗透了要准确体会课文内容，不能脱离语言文字的思想，又符合了学生的年龄特点，突出了趣味性，巧妙地突破了教学难点。

我校的音乐教研组在开展组研究课的过程中就较好地体现了"差异教研"的优越性。

我校的音乐教研组由四位教师组成。在这四位教师中，有擅长分析音乐作品的区兼职教研员赵老师，有重视学习音乐理论的任老师，有注重双基教学的张老师，还有刚参加工作受低年级学生喜爱的小刘老师。

在开展教研活动的过程中，老师们在教研组长的带领下，进行了这样的尝试。由于每位教师都兼任一年级的音乐课，因此，在确定研究内容时，大家选择了一年级的教材《可爱的小动物》一课。

在研究过程中，大家在组长的带领下，深入研究教材，确定了切实可行的教学目标。交流中大家感到，如何引导一年级的学生准确把握节奏的时值是本节课教学的难点。为了突破这一难点，赵老师从自己的教学特长出发，为老师们进行了歌曲风格分析，使大家感受到这是一首充满趣味性的、易于学生进行表演的儿童歌曲。为了选择恰当的教学方法，任老师为大家提供了《通过有效性趣味练习，培养学生音乐基本技能》的文章，理论的学习，为教学研究的开展进一步打开了思路。张老师不失时机地补充说，在运用各种方法激发学生学习兴趣的同时，不要忘了歌曲最后 8 个小节中 16 分音符的处理。最后，由小刘老师完成了组研究课的展示任务。

回想整个研究过程，组内的每位教师都从自己的专业特长出发，为其他教师提供自己的教学经验，由此较好地实现了教师间的交替引领。与此同时，大家也在吸纳着同组其他教师的专业智慧，分享着大家共同的研究成果。教师正是在这样的相互启发、交替引领中，不断提高、获得发展的。

在教学研究的过程中，由于同组教师有着共同的研究目标，共同的研究愿景，因此，逐渐形成了"主题贴近教学——教师有话想说；提前查阅资料——教师有话可说；氛围民主开放——教师有话敢说；专业引领启迪——教师有话会说 " 的良好教研氛围，为教师不断提高教研能力提供了环境保障。

"行为更进式"教学研究形式让我们感受着教研过程变化的同时，也带来了教师群体的发展。（2004 年 9 月以来，我校各学科教师在区级以上各类教学活动中取得了可喜的成绩，这里篇幅有限，暂且不谈。）

成绩的取得进一步表明，"行为更进式"的教研形式，有效地促进了教师个人以及群体的专业技能的发展，而教师的发展又为学校的发展积蓄了力量，使得学校呈现出较强的发展潜力。

通过教师间的行为更进促进教师群体的进步是我校开展校本教研的初衷和落脚点。然而，仅仅把这种研究方式局限于组研究课的工作中，其效果是有限的。实践中，我们以制度变革为突破口，以教学管理变革为主线，实施了一系列人性化的教学管理制度，"资源共享式"的备课方式就是其中的一个代表。

我校探索的"资源共享式"的备课，包括以下环节。

1. 定量主备

每位教师要在组内协议分工中领取本册教材的部分单元任务，投入全部精力查找资料，做到研究课标、研究学生、研究教材，高质量地完成备课基础工作，为集体备课做好准备。

2. 集体评备

教研活动时，在教研组长的带领下，曰主备课人说出教案设计的目的、环节所要体现的意图、教学方法的选择与运用等，同组教师共同评议教案的可行性，及应注意的问题，集思广益，并提出修改意见。

3. 个人精备

在定量主备、集体评备的基础上，主备教师再将评议后的教案重新疏理、完善，其他教师在共享研究成果的同时，结合本班、本人的教学实际，对教案进行个性化修改，体现教案的可行性。

### 4. 实践复备

教师根据自己教学班级的实际情况，创造性地使用教案，灵活处理课前预设与课上生成的关系，实现教学相长。

### 5. 课后思备

教案实施后，教师要结合新课程标准，反思自己的教学行为，及时写好反思记录。

实践中我们体会到，"资源共享式"的备课方式顺应了当前的课改形式，教师的备课行为不再是孤立的、封闭的、个体的研究过程，而是合作的、开放的、集体研究的过程。过程的变化体现着新课程理念的实施，教师们从常规备课环节中同样享受着集体教研的成果，在潜移默化中不断提升着自己的研究水平，这样的备课方式也是"行为更进式"教研方式的一种有益的补充。

**（有待继续研究的问题）**

实践中，我们不断感受着"行为更进"式的教研方式带给教师的收获与进步，与此同时，我们也深切地感受到实践中存在的一些问题。如，"行为更进"式的教研方式要求教师要有明确的研究方向与目标，只有目标清晰，才能促使研究的方向准确。但这个目标的形成，不应是学校或教研部门自上而下命令式的，而应来自于一线教师的教学实际，是教学实践中难以解决又必须要解决、要面对的问题。只有找准了问题，研究过程才能更加贴近于教学实际，教师在这样的研究过程中也才能够获得更大的发展与提高，同时，也才能更加深切地体会到集体教研的乐趣，从而更加热爱教研，提高能力。

但就我校目前的教研状况来看，问题的产生多数还处于自上而下的阶段，教师与自发产生研究问题，形成问题意识的要求，还存在着一定的差距。这一问题的出现，说明教师们在理念的学习与自身的实践中还没有完全架起桥梁，学校还要进一步加大对教研组长的培训力度，增强教研组长发挥核心引领的作用，这也就为我们今后的探索指明了方向。

**（改进的设想）**

校本教研是一种创造，它是教师对新课程富有个性的解读和创造；校本教研是一种体验，是教师对教育、教学和生命过程的幸福体验；校本教研是一种发展。在研究过程中，既成就了学生的发展，也成就了教师、学校的发展。我们希望在区教委的统一领导下，全面实施，以校为本，以点带面，不断发展，通过实践、体验、创造，努力探索出我校校本教研的新天地。

## 附录二　教育调查报告

### 小学生面对课堂提问的心理反应的调查报告[①]

吴雅萍

**摘要：** 本文从调查、了解学生面对课堂提问的心理反应入手，分析不同年段、不同类型学生对特定问题的心理反应的成因。立足学生发展层面，审视课堂提问的价值和效度，从而研究分析课堂提问该如何把握学生的心灵，走进学生的心灵，激发其最佳学习状态。

**关键词：** 小学生　课堂提问　心理反应

## 一、调查缘由

课堂提问是课堂教学中不可或缺的环节。目前，国内外关于课堂提问的研究已有很多，心理学家瑞格对 36 位教师进行一系列调查后提出"提问是试图引出言语反应的任何信号"，并指出许多教师对于课堂提问的理解上有些偏差（认为课堂提问仅是言语信号）。刘显国对课堂教学艺术从基本原理、设计、优化及提问方法等方面作了较全面系统的论述，认为课堂提问应遵循心理学原理、教育学原理；认为提高教育成效，需要优化课堂提问，并提出了针对性、可接受性、化难为易性等 15 条优化原则。他强调鼓励学生自己提问的重要意义，并提出了课堂提问设计的一些有益见解。

纵观课题组收集的相关资料，我们发现，目前几乎全部的教育工作

---

① 吴雅萍. 小学生面对课堂提问的心理反应的调查报告 [J]. 浙江教育科学，2006
(3).

者都认为课堂提问是一个很重要的、有价值的研究话题。他们也一致认为，研究这一课题必须涉及心理学层面（如刘显国认为课堂提问的设计必须了解学生的学习心理，遵循心理学原则），但所有这些研究都从教师的层面来阐述该如何利用心理学、教育学原理优化课堂提问设计，很少直接关注学生面对问题时的状况及学生的问答需要。

因此，课题组认为课堂提问和答问是一个有机整体，其中间环节是"心理"反应。课题组拟从调查、了解学生面对课堂提问的心理反应入手，分析不同年段、不同类型学生对特定问题的心理反应及成因。本课题立足于学生发展层面，审视课堂提问的价值和效度，从而研究分析数学课堂提问该如何把握学生的心灵，激发其最佳学习状态。这也是本课题的创新点之所在。

## 二、调查的前期准备及问卷的设计

为了设计有价值的调查问卷及访谈话题，以准确了解、捕捉孩子的心理反应，课题组成员首先通过翻阅教案、访谈、随堂听课、问卷调查等方式对 100 名数学教师进行调查，了解教师课堂提问的类型及方式。调查前我们以 5W 体系为指导，对课堂提问的类型进行了梳理分类，把课堂"问题"概括为下面五大类。

第一类"是什么"（know what）：提问关于事实方面的知识，是同类信息归纳；第二类"为什么"（know why）：提问关于原理和规律方面的知识，是问题发生、发展和变化机理的分析与归纳；第三类"怎么做"（know how）：提问涉及解决问题的技术和能力；第四类"谁会做"（know who）：涉及怎样寻求帮助解决问题（即学习方法）；第五类"在哪里"（know where）：涉及问题的来龙去脉，怎样在特定情景下运用，如何运用。

从随堂听课及查阅教案的情况看，有 70% 左右的问题是有关"怎么做"的，15% 左右的问题侧重"是什么"，13% 左右的问题探讨"为什么", 只有2%左右的问题涉及知识的具体运用, 而关于怎样寻求学习帮助以解决问题 (学法指导) 的问题还不到1%。问及原因, 许多教师表示数学学习的目的确实是为了应用, 但会用的前提是明白算理, 能运用公式和方法熟练地解题答题, 因此"怎么做"是数学教学的重点。从教师的访谈中我们了解到, 对于问题的呈现方式也是各不相同的: 许多教低年级的教师更多的是创设一定情境, 利用直观、生动的情境来呈现问题; 中高年级教师更习惯于语言或文字的呈现方式, 部分教师还关注学生自己发现问题、提出问题并解决问题, 而部分教师则认为这种做法好是好, 但太费时, 因此不大提倡。在问及教师设计课堂提问的关注点是什么时, 几乎全部的教师都认为设计问题首先关注的是知识点的落实, 而很少有教师关注学生的学习兴趣、学习状态。

由上述调查及我们对学生可能产生的心理反应的推想及预设, 主要从以下几个纬度来设计学生的调查问卷:

一是调查、分析面对课堂提问, 各层次学生 (以学业成绩分为学优生、中等生、潜质生; 以学习年段分为低、中、高段学生) 的主要心理反应。二是各层次学生面对"是什么""为什么""怎么做""谁会做""在哪里"各类课堂提问的心理反应。三是各层次学生面对"易""适中""难"各层次问题的心理反应。四是在各类课堂提问中受挫或成功时的心理反应及原因陈述。五是各层次学生对问题不同呈现方式的心理反应。六是各层次学生在课堂提问中的需要及获得需要时的心理反应。

## 三、调查结果与分析

### (一) 面对课堂提问, 学生的主要心理反应

#### 1. 好奇心理

我们发现, 活泼、求知欲强的孩子面对课堂提问的反应往往积极、主动, 思维开放、活跃, 更愿意去面对挫折、克服困难, 因此学业成绩

往往也比较优良；内向、稳定的孩子，应对问题的态度却比较被动，懒于去克服困难获得结论，因此学业成绩也处于中下水平；其余学生处于这两种状态中间。可见，意志品质、性格、气质等心理因素在答问过程中起着非常重要的作用。

### 2. 表现心理

具有表现欲的学生上进心强，比较自尊，看重别人对自己的评价，他们在群体中或者表现得特别自尊，或者表现得比较自卑，因此学业成绩也表现出两极性。在课堂答问中，这类学生往往表现出争着回答的行为，令一些老师心烦，埋怨他们太爱表现，但实际上，表现欲是一种很需要保护的学习心理，因为合理地满足孩子表现自己、得到奖励的需要，能给孩子学习的动力，有效地促进学习。

### 3. 应答、反馈的心理

积极的应答是学生适应自己学习者角色的结果。孩子们认为应答、反馈教师的问题是自己必须履行的职责，而且这种履行职责的行为已成为大多数孩子一种"本能"的反射，这种反射路径可示为：问题→本能的反馈、应答需要→本能的思考、探究反射→反馈、应答。尽管这一心理反应是一种被动的应答反应，但这一反应已成为学生机体一种本能、自动的反射体制，这种应答反射对于有效的学习有着非常积极的作用。

### 4. 保守心理

保守心理是自尊、内向、上进的学生（女同学居多）由于担心自己答错而表现的一种比较普遍的心理反应。这类学生往往成绩优秀，表现乖巧，他们很注重自己的"形象"，比较害羞，受挫能力较弱，因此在答问过程中，除非自己有绝对把握，否则他们不轻易举手回答问题。"稳扎稳打"是这类孩子的优点，但也正是这种"个性"优点限制了他们思维的广度与创造精神。因此，教师要多鼓励他们敢想敢创。

### 5. 怯懦心理

具有怯懦心理的学生内向，自我评价低，总担心自己的答案不正确。因此在面对课堂提问时，他们想回答却不敢举手，在讨论问题的过程中缺乏主见。造成这种答问心理的原因可能有个性品质上的原因，但更主要的原因与学习体验相关。从调查的统计结果发现，这类学生多为学业成绩中下学生，平时在学习中成功的体验较少，得到的肯定也较少。

### 6. 自弃心理

有自弃心理的学生在学生中所占比例比较少，这类学生学业成绩一般比较差，他们对自己评价极低，觉得自己什么都不行，因此他们在课堂答问中常常表现出"事不关己"的态度。

### （二）学生面对"是什么""为什么""怎么做""谁会做""在哪里"各类课堂提问的心理反应

我们采用问卷、访谈等多种形式对这一调查维度展开分析，结果发现低年级孩子认为"为什么""怎么做""在哪里"这几种类型的问题比较有趣，自己也最愿意回答。高年级孩子最喜欢"在哪里""怎么做""谁会做"这几种类型的问题，认为这几种类型的问题比较"有用"，而且富有挑战性。在回答"你认为哪些类型的问题对你的学习和成长最有帮助"这一问题时，低年级学生由于年龄的缘故回答比较杂乱，而高年级学生比较集中的回答是：各种问题都有作用，但从长远的价值来说，"怎么做""谁会做""在哪里"这几种类型的问题更有价值（尤其是后两类问题）。可见低年级的学生面对课堂提问以"兴趣"为中心，答问动机比较外显、直接，而高年级的学生开始初步建立起"用"的学习需要体系，表现出一种间接的、内在的、更加稳定的学习动机。

### （三）各层次学生面对"易""适中""难"各层次问题的心理反应

从下面调查结果表 15 中，我们可以发现，学生对教师的提问是否感兴趣与问题本身的难易没有很大关联，而主要和问题类型有关。从表中我们还可以看出学生普遍认为陈述性问题简单，但大家普遍不喜欢回答这类问题；而程序性问题，尽管学生们几乎都认为它有一定难度，但因为它具有可操作性、实践性和层次性（最难的是关于怎么办的问题），每个层次的学生总能想出一些处理办法，只是层次不同而已，所以最受学生欢迎。

表 15　调查结果

| 问题类 / 态度 / 学生类别 | | 对问题的难易判别 | | | 喜欢与否 | | |
|---|---|---|---|---|---|---|---|
| | | 难 | 一般 | 易 | 喜欢 | 不喜欢 | 无所谓 |
| 陈述性问题（回答 what） | 学优生 | 0 | 0 | 20 | | 8 | 12 |
| | 中等生 | 0 | 0 | 20 | 2 | 3 | 15 |
| | 潜质生 | 0 | 0 | 20 | 5 | 8 | 7 |
| 策略性问题（回答 why、how） | 学优生 | 2 | 10 | 8 | 6 | 5 | 9 |
| | 中等生 | 4 | 3 | 3 | 8 | 6 | 6 |
| | 潜质生 | 8 | 10 | 2 | 5 | 9 | 6 |
| 程序性问题（回答 who、where） | 学优生 | 11 | 7 | 2 | 20 | 0 | 0 |
| | 中等生 | 10 | 9 | 1 | 18 | 0 | 1 |
| | 潜质生 | 8 | 8 | 4 | 16 | 1 | 3 |

访谈调查中所获的结果与此雷同。在回答"你认为哪些问题比较难""面对难、易、适中等各类问题，你采取怎样的态度"这两类问题时，各类学生回答差异不大。每一类问题的变式不同，难易也将不一样，无论问题的难易程度如何，只要问题有意义，且不是难不可攀，一般来说学生都不愿轻言放弃，而且许多学生认为有点难度、有点"个

性"的题目挑战性更大，带来的快乐也更多。当问及所谓问题的"意义"指什么时，60%的孩子解释为"有价值""有用"，20%的学生解释为"有趣，自己喜欢"，10%的孩子解释为"有挑战性且有用"。可见，问题只要不是过难都不影响孩子的学习兴趣，而问题是否符合学生的学习"需要"才是影响学生答问兴趣的关键。

### （四）在各类课堂提问中受挫或成功时的心理反应及原因陈述

表16　二至五年级学生课堂答题受挫时心理反应统计表

| 年级 | 学生类别 | 回答错了时的心理反应 | | | 总人数 |
|---|---|---|---|---|---|
| | | 没什么，下次答正确 | 不好意思，以后要慎重举手 | 以后不举手，感觉自己很差劲 | |
| 五 | 学优生 | 13 | 6 | | 61 |
| | 中等生 | 10 | 3 | 4 | |
| | 潜质生 | 5 | 8 | 12 | |
| 四 | 学优生 | 12 | 3 | | 57 |
| | 中等生 | 15 | 2 | 2 | |
| | 潜质生 | 7 | 5 | 11 | |
| 三 | 学优生 | 15 | 4 | | 59 |
| | 中等生 | 15 | 4 | 1 | |
| | 潜质生 | 13 | 4 | 3 | |
| 二 | 学优生 | 16 | 4 | | 60 |
| | 中等生 | 15 | 1 | 4 | |
| | 潜质生 | 13 | | 6 | |
| 总人数 | | 149 | 45 | 43 | |

从表16可以看出，三类学生耐挫能力存在着较大差异。学优生比其他两类学生有更好的受挫能力，原因可能有二：一是学优生受到成功

的体验更多，自我评价较高；二是可能与学生的个性品质及自我调节能力有关。调查结果还反映出，当答问受挫后，选择"没什么，下次答正确"的学优生所占的比例较多，且从二年级到五年级选择"不好意思，以后要慎重举手"的学生有增多趋势，这一方面说明学优生更加维护"面子"，更加自尊，另一方面也反应了学生自尊心发展的规律——越到高段，孩子越爱"面子"，所以他更需要教师很好地呵护。选择"以后不举手，感觉自己很差劲"的学生人数也随年级升高呈增加趋势，可见受挫能力与学习经历有关。

当答问成功时，学生的心理反应也存在较大差异，面对较易问题时，高年级学优生、中等生的反应是"这是应该的"，潜质生的反应是"有些高兴"。面对较难的问题，高年级的所有学生都用"快乐"一词来形容，而低年级学生，无论问题难易，只要回答正确都表示很开心。反应差异较小。调查还发现教师的激励性评价对中等生和潜质生的激励作用最大。

为更好地研究与学生课堂答问时受挫、承挫能力相关的一些因子，我们还对各层次学生面对课堂提问的自信心进行了 $x^2$ 检验，结果如下：

分析：从表 17 看，学优生男女自信心差异不显著；中等生男女自信心有较明显差异，男生比女生自信；潜质生男女自信心差异极明显，男生比女生更自信。可见，面对课堂提问的自信心理与学生的性别特征有一定相关，但更主要的是受教育环境和学习经历影响。表 18 表明，三类学生在自信心上有极大差异，学优生最为自信，潜质生自信心明显偏低，这说明自信心与学业成绩密切相关，与学生学习经历相关。表 19 表明各年级学生自信心差异不是很明显，但表 19 还是反应出了这样一种趋势：越是到高年级，学生表现出不自信心理的人数越多。这可能与孩子的自尊心发展有关，另一方面也可能与孩子的学习经历相关。同时，这是否可以看做是对我们教育的警示：我们的孩子更需要的是成功教育。

**（五）各层次学生对问题不同呈现方式的心理反应**

经过教师访谈与查阅资料，我们把"问题"的呈现方式归纳为直接呈现法、故事呈现法、游戏呈现法、操作呈现法、悬念呈现法等。调查发现数学课堂中用得最多的呈现方法在高年级是直接呈现法，在低年级是直接呈现法和操作呈现法。在"你喜欢老师怎样出示问题"的调查中（多项选择），高年级有60%的学生希望老师采用悬念法；53%的学生希望能在游戏中提出问题、解决问题；50%的学生希望自己有动手操作的机会；只有12%的学生表示愿意接受直接出示问题，认为这样比较直接、省时。低年级学生几乎100%表示最希望在游戏中问答；70%的学生希望老师把问题放在有趣的故事中；42%的学生表示动手操作很有意思；没有一个学生选择直接呈现问题。这一调查结果符合小学生"猎奇""猎趣"的年龄特征。

表17 男女生对课堂回答自信心 $x^2$ 检验

| 学生类型 | | 上课发言是否担心自己水平差 | | $x^2$ 临界值 |
| --- | --- | --- | --- | --- |
| | | 经常这样 | 不这样 | |
| 学优生 | 男<br>女 | 8<br>9 | 9<br>9 | $x^2 = 0.03$ |
| 中等生 | 男<br>女 | 15<br>16 | 10<br>2 | $x^2 = 4.34$ |
| 潜质生 | 男<br>女 | 9<br>9 | 5<br>0 | $x^2 = 11.96$ |

表18 三类学生对课堂回答自信心 $x^2$ 检验

| 学生类型 | 上课发言是否担心自己水平差 | | 总和 | $x^2$ 临界值 |
| --- | --- | --- | --- | --- |
| | 经常这样 | 不这样 | | |
| 学优生 | 17 | 18 | 35 | |
| 中等生 | 31 | 12 | 43 | $x^2 = 6.91$ |
| 潜质生 | 18 | 5 | 23 | |
| 总　和 | 66 | 35 | 101 | |

表19　三至五年级学生自信心 $x^2$ 检验

| 年　级 | 上课发言是否担心自己水平差 | | 总　和 | $x^2$ 临界值 |
| --- | --- | --- | --- | --- |
| | 经常这样 | 不这样 | | |
| 三 | 18 | 14 | 32 | |
| 四 | 20 | 10 | 30 | $x^2 = 1.91$ |
| 五 | 28 | 11 | 39 | |
| 总　和 | 66 | 35 | 101 | |

## （六）各层次学生在课堂提问中的需要及获得需要时的心理反应

对于这一维度，最有代表性的两个问题是"教师提问时，你最希望_____（可填多项）""老师提问时，你最不喜欢_____（可填多项）"。对于这两个调查结果的处理，我们采取了排序法，结果发现第一个问题，学生的回答排在最前面的分别是："希望老师态度和蔼可亲、对我们好""希望老师的问题和我们的生活有关，在生活中有用""希望老师的问题有趣、容易""希望老师能让我们有自己的答案""希望老师在我们答错时还能激励我们"；第二个问题的统计结果次序为："最不喜欢老师凶凶的或板着脸""最不喜欢老师的提问不着边际""最不喜欢老师千篇一律""最不喜欢老师自以为是"……两个问题的结果说明了在课堂提问中，学生对教师态度的关注。对问题"有用"性的关注，对"自我"的关注及对问题本身"趣味性""价值性"的关注。在回答"当老师的问题和提问方式刚好是你所希望的时，你_____（请描述你的心情和做法）"时，学生几乎都用"开心""愉悦"等词来描述。正因为心情愉悦，所以大多学生都表示愿意积极思考、努力探究问题。

我们对高年级学生设计了另外一个比较重要的调查问题，是一个半开放型多项选择题，"你认为问题带给你最佳的心理状态是：A 有一部分答案，但不完整，需要努力或合作；B 能马上找到解题方法，得出答案；C 有解决问题的思路和方法，但还没有答案；D 虽一时不能回答，但有回答的自信心；E 努力尝试，但比较迷茫；F 其他（请补充）"80.25% 的学生选择了 A、C、D 三个选项。这是一个涉及问题难度的题目，反映出学生对问题价值的准确判断，也反映出过难、过易的问题都不符合学生发展的需要，而"跳一跳"能解决的问题才是最有价值的问题，也是最符合学生需要的问题。

## 四、小结与建议

综合整个调查结果，我们认为学生答问的主体需要、老师提问的类型、对问题的呈现方式、提问的分寸及对学生的评价等都是影响学生应答心理的重要因素。根据学生面对课堂提问所反映出来的各种积极或消极心理及调查的结果分析，我们认为课堂提问的设计与优化要关注以下几个相辅相成的层面。

### （一）建立良好的师生"情谊"

调查结果强烈地表示了学生内心对于"情感"的需要。教师是学生心目中最鲜活的"榜样"，学生最希望从老师身上得到认同与鼓励，因此教师如果在教学中始终保持谦和、愉悦、关爱的态度，能让学生感受到信赖、鼓舞、期待。

### （二）关注学生的主体需要

关注学生的主体需要是优化课堂提问的关键所在。由调查结果我们可以发现这样一个结论：学得"有趣""轻松"，问得"新奇""有趣"是小学生最普遍的需要。因此，教师的课堂提问就要努力体现"趣"与"奇"两个字，以充分发挥和调动学生的内部动机。另外，调查结果还显示，不同年级的学生有不同的学习需求，这些需求又因学生性格、成绩等因素的不同而有所不同。因此，教师不但要加强教育理论的学习，而且要有一颗细致、温柔的心，时时处处留心学生的不同需要，做一个教育的有心人。

### （三）追求问题设计、呈现的艺术

在问题的设计上，我们要追求问题的价值性，即问题的效度。我们认为对学生发展有价值的问题必须在问题的难易、学生的需要、问题的类型设计等诸多方面有一个整体的、合理的把握。国内有关专家曾对问题的效度特点做了研究和较为详细的描述，认为好的课堂提问应当具备以下特点：一是能表现教师对教材的深入研究；二是略高于学生的智力和知识发展水平以激发学习的欲望；三是富有启发性，并能使学生自省；四是能有助于实现具体教学目标；五是力求文字训练和思想内容的理解与和谐统一。这基本上与我们的理解相一致。由调查结果发现，学生对于问题也非常重视有自己独到的见解。问题的呈现方式作为影响课堂提问的又一关键因素，它的核心艺术也不外乎"趣"和"变"两个字，追求变化，充满情趣。让严肃、生硬的问题变得生气、灵动，充满情意——这也是我们对教育艺术不懈的追求！

## 附录三　教育考察报告

### 关于芬兰高中教育改革的考察报告[①]

2006 年 11 月，原安徽省教育厅副厅长胡平平率安徽省教育代表团赴芬兰先后考察了赫尔辛基市罗素高中（Ressu Upper Secondary School）、Sotuunki Upper Secondary School 和芬兰国家教育委员会。通过听取介绍、实地考察，并和教育官员、校长及师生进行交流访谈，初步了解了芬兰高中课程改革的基本情况及发展趋向，对我省基础教育改革特别是高中课程改革有很好的借鉴意义。

## 一、芬兰高中教育改革的基本情况

芬兰高中教育改革是在经济全球化不断推进、国际竞争加剧、知识经济崛起和信息化技术迅猛发展的背景下进行的。为培养学生的综合素质，更好地应对科学技术的突飞猛进、信息传播途径日益增多等变化对教育的挑战，罗素高中成为芬兰课程改革的先锋。该校从 1987 年起率先打破年级制，大胆采用了"不分年级制"的课程结构，其他学校纷纷效仿。到 1994 年，全芬兰的高中全部实现了无年级的高中学制。1999 年 1 月 1 日芬兰颁布《高中教育法》后，规定所有高中都要实行"不分年级制"的教学模式，打破了千人一面的接受式学习方式，因材施教，不断优化课程结构，更新课程内容，培养学生主动学习的能力和创新精神，取得了良好的效果。

---

　　① 安徽省赴芬兰教育考察代表团. 关于芬兰高中教育改革的考察报告 [J]. 安徽教育，2007（4）.

### （一）教育体系和教学模式的改革

#### 1. 学制改革

将过去固定的 3 年高中学制改为较有伸缩性的 2—4 年学制，不同的学生可以根据自身智力、学习基础、学习计划进展和学习兴趣等不同情况，在完成学校规定学分的基础上，自己决定用两年、3 年或 4 年完成高中教育（约 90% 以上的学生都是用 3 年完成）。在芬兰，每一个学年（190 天）不再被分为两个学期，而是分为 5—6 个学段。每个学段包括 7—8 周（约 38 天），其中 7 个学习周，1 个考试周。

#### 2. 课程改革

芬兰高中课程分为必修课和选修课两类，选修课中还包括部分学校自设课程。在大部分高中，必修课占 2/3，选修课和学校自设课程占 1/3。学校对课程设置有很大的自主权。在罗素高中，学校成立了一个专门的委员会研究学校课程设置，这个委员会由校长、副校长、在校学生（3 人）、教师（23 人）和本校毕业的学生（30 人）组成。高中学校不再为学生分班级或分配固定教室，不同学年入校的学生因选择同一门课程而同坐一个教室。新学年伊始，学校即发给学生每人一本课程设置手册，内含本学年开设课程明细表，包括对课程的总体介绍、课程设置、备课详情、任课教师、选修必备的前提条件等，同时将手册全部内容公布在校园网上，以便学生随时查询。学生根据自身情况和各自不同的兴趣爱好，自己选择并制订学习计划，选择不同学段的课程和适合自己的任课教师。选课方式简便易操作，学生只需在校园网相应的课目栏内输入自己的学号即可。经过特殊申请，学生还可以通过自学，不参加听课，只要定期完成课程作业并参加考试而获得学分。

### （二）课程体系和教材的改革

为推行课程体系改革，构建符合素质教育的新型课程教材体系，《芬兰高中课程标准（草案）》于 2003 年起草完毕，于 2004 年在全国实施，包括七个部分和一个附录。

第一部分：高中的教学目的和基本的价值观。包括价值观；教学目的和任务；高中的使命。第二部分：学校教育。包括学校教育的主要特点；认知的理论基础——学习的内涵（实质）；学习环境；学习的原理和教学的原理；学生的角色——学生的活动；与学生家长的合作。第三部分：学校工作的组织。第四部分：学生指导、咨询工作的组织。第五部分：向学生提供支持性的工作。第六部分：学生评估与测试。包括学生评估、学校教学工作评估和发展。第七部分：每个课程科目的教学目标和内容。包括跨领域的学习和不同课程科目的主要组成部分（目标、内容、教学、评估）。附录包括信息策略；学校应对紧急情况的措施；教职员工的福利维系项目；如何避免吸毒和酗酒的项目；学校各项规定。

芬兰现行普通高中课程改革，课程分为学习领域、学科和学程三个层次。其中，学习领域包括母语及文学、外语、数学、环境与自然科学、价值观与信仰、心理学、历史与社会、美学、体育与健康教育以及职业教育与指导十个学习领域；学科包括母语（芬兰语、瑞典语或萨米语）、第二官方语言（瑞典语或芬兰语）、外语（英、法、德、俄等）、数学、物理、化学、生物、地理、宗教或伦理学、哲学、心理学、历史与社会、音乐、美术、体育与健康教育、职业教育与指导等十多个学科，涵盖了数十门甚至上百门课程。

### （三）教育管理体制的改革

芬兰高中学校属学校所在地教育委员会直接管理。校内设有校董事会，董事长决定校长的任命和聘用。学校的日常教学和其他事务实行校长负责制。实施"无班级授课制"以后，学校机构除原有的各教研室、行政办公室外，还增设了教育咨询办公室，建立了针对学生的顾问制度、指导员制度、学生自我管理制度，实现了宽松体制下对学生除文化知识教育以外的道德品质及社会知识教育的有效管理，这是芬兰教育管理改革的一大特色。

（1）学生顾问制度：每个学校都设有专业的学生顾问，其专职工作就是解答学生学习、生活中遇到的各种问题。

（2）指导员制度：新生入学无固定的班级，被分为 25 个人左右的管理小组，每组有指定的指导员。

（3）学生自我管理制度：一些品学兼优的高年级学生经选拔可担任新生辅导员工作。

### （四）教育手段的改革

芬兰是科技高度发达的国家，人均手机使用率和人均上网人数均居世界第一位。高中学校平均每 6～10 名学生就有一台上网电脑，信息技术的学习和应用成为学生接受知识、培养能力和创新精神所不可或缺的手段。各高中均建立了校园网，学校的许多行政管理事项及通知、教师布置家庭作业、学生对专业的咨询、选修大学远程课程以及师生间的交流沟通等都能够通过网络进行。

### （五）师资建设和教师培训制度的改革

芬兰法律规定，必须具备硕士以上学历，并通过教师资格考试，才能申请高中教师职位。新任教师大约要经过十多年的努力，才可以获得终生教师称号。在芬兰，教师的工作得到了社会的广泛尊重和普遍认同，教师享有相当于国家公务员的工资待遇。在新的教育体制下，教师将面临严峻考验。不同教师开设同一门课程，是学校正式引入教师竞争机制的起点。学校规定了最低选课人数作为开课的前提，促使教师必须不断学习充电，以新知识、新方式和新手段来吸引学生，取得更好的教学效果。校长会对开设新课程的教师颁发奖金，如果因为开设新课程需要外出考察（包括到国外考察），学校将会提供经费。在这样的机制下，教师继续教育的动力来自教师自身。

### （六）学生评价和高中考试制度的改革

芬兰高中对学生的学业评价是通过各学段最后一周的考试来进行的。课程考试成绩实行 10 分制，4 分以下（包括 4 分）为不及格。几门课中，如果只有一门不及格，并不妨碍学生选修该课目的高级课程，学生只需在准备充分后参加补考（补考次数不限），考试成绩以最高一次计入；但如果同一门课，出现了两次不及格，便不能继续选修该课目的后续高级课程，需经过重新学习并通过考试，方可继续学习该课目更高级别的课程。由于学校没有留级制度，学生的学习成绩也不是一考定音，而注重学生的综合素质。

高中学习结业时，所有学生需参加全国毕业考试。考试的目的是判定学生是否具备了高中课程标准所要求的知识和技能，并达到毕业水平，是否为自身步入成年的心理和生理上做好准备。这项考试同时作为大学入学的资格考试。考试包括 7 门必修课，其中母语（芬兰语、瑞典语或萨米语）是必考课，其余三门由学生自己选择。另外，国家规定的选修课考试也是统一进行，由学生自主选择门类。

## 二、罗素高中的经验

提供多样、优质、现代化的教学：学生可以有多种课程选择，13 种语言可供选修；与周边多所大学建立了联系；同时，学校具有幽雅、舒适和宽松的学习环境与活跃的学生会团体。

实施五方面的改革：一是课时由 45 分钟延长至 75 分钟，学生有更多的自主权选择其学习内容；二是考试方面的改革，学生必须参加四项考试，其中芬兰语也就是母语，是必须参加考试的；三是 LUMN 发展项目，旨在提高数学和理科的教学质量；四是设立一所国际学校，颁发国际文凭，但必须参加英语课程的学习；五是进行对教师提供奖金方面的改革。

提供多种课程：目前有300门课程（course），仅外语就开设13门（包括中文）。学生可根据自己的兴趣、需要和能力来选择；每位学生可视个人情况，在2~4年内完成全部高中课程（必须完成75门课程，其中45门必修课程，30门选修课程，多选不限），绝大多数学生需要3年完成，能力较强的学生可以在2年内完成并毕业。

开设应用性课程：如古埃及学、生物化学、戏剧、信息技术等课程，由教师依据学校的办学理念提出申请，校长最终决定其开设与否。

设立学生顾问：负责指导新生选课和制订适合自己的学习计划，指导学生掌握正确的学习方法，克服学习中的困难，从容应对各种考试；负责毕业生未来择业或升学、心理等方面的咨询。

## 三、芬兰高中课程改革对我国课程改革的启示

### 1. 加强校际合作，提倡资源共享

芬兰高中的一些具体做法，如跨学校选修，聘请专家、学者到校讲课，甚至为满足学生个性化的学习需求，允许学生到大学听课拿学分的做法，真正体现了开放的思想。在我国学校教育资源相对短缺的情况下，加强校与校、区与区、学校与高校甚至国际上的联手合作都是推动课程改革稳步实施的有效保障。

### 2. 重视课程的基础性、多样性和选择性

我们应以多样化、选择性的课程结构适应迅速变化的世界，保证学生多方面才能的发展，满足人才多样化的需求。要求课程面向全体学生并适应不同学生发展的不同需要，要求课程设置体现因材施教的思想，力争为每一个学生找到成长的最佳课程模式，要求学校通过开设相应的课程来引导、促进不同学生在不同方面的发展，以保证学生多方面才能得到充分的发挥。

### 3. 多样化的选课制度和选课指导制度

芬兰课程改革强调多样化的选课制度以及加强对学生选课的指导，这对于我国的高中课程实施与管理非常有启发。为了谋求多样化的课程得以有效实施，而编制多样化的课程类型和加强对学生选课的指导是值得深入研究的课题。

### 4. 注重信息技术和外语教学

芬兰高中学生的信息技术和外语水平都很高，并且一般都能掌握2~3门外语。这有利于芬兰人充分利用全球资源，适应教育发展的国际化趋势和教育改革自身的需要。而更好、更多地掌握好信息技术和外语，则是我们在课程设计上应该予以重视的问题。

### 5. 加强教师培训

教师专业化水平是否适应新的课程改革的要求决定着教育的成败。芬兰地方教育行政部门、高等学校和高中为教师提供多种形式的继续教育，可以说，为教师提供多种多样的培训以适应不断变化的教育改革的需要是芬兰教育投资的重要组成部分。这很值得我们借鉴。因为，从我省的教育实际情况来看，教师的整体素质不容乐观，现有的教师队伍在数量和质量上都很难适应普通高中课程标准的需要。因而，课程改革中加强教师培训以及师资队伍建设尤为重要。

我国高中新的课程改革方案中，学习领域、科目和模块三个层次的课程结构组成，学分管理、选修模块、跨班级选课、学段教学和选修课指导制度等设计，均体现出对"芬兰模式"的借鉴与吸收。但是，我们有着与芬兰截然不同的经济文化社会背景及教育制度，因此，在我省实施高中新的课程改革方案，就需要我们依据自身的教育实际，合理借鉴"芬兰模式"，创建出一批优秀的体现我省特色的"罗素高中"，从而为我省高中全面实施新的课程改革方案提供可资借鉴的经验。

# 参 考 文 献

[1] 陈向明. 教师如何作质的研究 [M]. 北京：教育科学出版社，2001.

[2] 陈向明. 质的研究方法与社会科学研究 [M]. 北京：教育科学出版社，2000.

[3] 陈永明. 教师教育研究 [M]. 上海：华东师范大学出版社，2003.

[4] 邓涛. 新课程与教师素质发展 [M]. 北京：北京出版社，2005.

[5] 黄燕. 中国教师缺什么 [M]. 杭州：浙江大学出版社，2005.

[6] 教育部师范教育司. 教师专业化的理论与实践 [M]. 北京：人民教育出版社，2003.

[7] 克里斯蒂娜·休斯，马尔克姆·泰特. 怎样做研究（第二版）[M]. 戴建平，译. 北京：中国人民大学出版社，2005.

[8] 联合国教科文组织国际教育发展委员会. 学会生存——教育世界的今天和明天 [M]. 北京：教育科学出版社，1996.

[9] 李方. 现代教育研究方法 [M]. 广州：广东高等教育出版社，2004.

[10] 刘德华，朱济湖. 教育科研实用写作 [M]. 长沙：湖南大学出版社，2001.

[11] 刘捷. 专业化：挑战 21 世纪的教师 [M]. 北京：教育科学出版社，2002.

[12] 罗炜，等. 校本教研教育叙事研究 [M]. 北京：首都师范大学出版社，2005.

[13] 迈克尔·康纳利，等. 教师成为课程研究者——经验叙事（第二版）[M]. 刘良华，等，译. 杭州：浙江教育出版社，2004.

[14] 梅雷迪斯·D 高尔，等. 教育研究方法导论 [M]. 许庆豫，等，译. 南京：江苏教育出版社，2002.

[15] 裴娣娜. 教育研究方法导论 [M]. 合肥：安徽教育出版社，1995.

［16］Richard D. Parsons，Kimberlee S. Brown. 反思型教师与行动研究［M］. 郑丹丹，译. 北京：中国轻工业出版社，2005.

［17］Robert Delisle. 问题导向学习在课堂教学中的运用［M］. 方彤，译. 北京：中国轻工业出版社，2004.

［18］石中英. 知识转型与教育改革［M］. 北京：教育科学出版社，2005.

［19］汪利兵，等. 教育行动研究：意义、制度与方法［M］. 杭州：浙江大学出版社，2003.

［20］吴明烈. 组织学习与学习型学校［M］. 北京：九州出版社，2006.

［21］王维. 学习型组织之路——关于"学习型组织"的思考与探索［M］. 上海：上海三联书店，2003.

［22］徐瑞. 新课程下的学生观［M］. 北京：首都师范大学出版社，2005.

［23］杨小微. 教育研究的原理与方法［M］. 上海：华东师范大学出版社，2002.

［24］袁振国. 教育研究方法［M］. 北京：高等教育出版社，2000.

［25］袁振国. 教育新理念［M］. 北京：教育科学出版社，2005.

［26］喻立森. 教育科学研究通论［M］. 福州：福建教育出版社，2001.

［27］张建. 研究报告撰写指导［M］. 北京：教育科学出版社，2005.

［28］郑慧琦，等. 教师成为研究者［M］. 上海：上海教育出版社，2005.

［29］郑金洲，等. 行动研究指导［M］. 北京：教育科学出版社，2004.

［30］郑金洲. 教师如何做研究［M］. 上海：华东师范大学出版社，2005.

［31］张东娇. 教育沟通论［M］. 太原：山西教育出版社，2003.

［32］张行涛. 校本教研的理论与实践［M］. 天津：天津教育出版社，2005.

# 后　记

　　早在 2003 年课程改革如火如荼的时候，作为一名教育研究者，那时我就积极参与了各地的教师培训工作。在许多次深入课堂、与教师的交流和对话中，我就发现存在着一个比较普遍的现象，就是培训者所讲的新的教育教学观念很难具体化为教师的教学行为，许多教师尽管接受了一次又一次的培训，观摩了一堂又一堂的示范课，但是一到具体的课堂情境中，在面临新的教学问题时，常常仍是束手无策，无所适从。这种现象正好反映了教学工作的复杂性和特殊性。由于教师工作所面临的对象是一个个鲜活的个体，其工作情境具有不可重复性的特征，因而，教师实际上很难从别人那里获得解决自身课堂问题的灵丹妙药，唯一的渠道只能是重回自己的教学实践，对自己的教学问题采取反思和研究的态度，才能逐渐找到有效的实践策略。

　　也就是从那时起，我开始努力转变自己在教师培训中的角色，从最初专注于传播新观念新理论的教师群体的局外者，逐渐转变为与教师一起研究课堂的局内人，并逐渐注意到研究给教师所带来的快乐和收获。于是，我开始酝酿写一本关于"教师如何做研究"的书，希望通过这本书提供给广大中小学教师更多研究上的帮助，尤其是希望能够在转变教师对待教学工作的态度上发挥一点作用，使"研究"扎根课堂，成为教师专业生活的常态。而此时正好赶上由袁振国教授主编,教育科学出版社出版的"新世纪教师教育丛书"修订再版,有幸忝列其中。非常感谢教育科学出版社杨晓琳编辑的督促和勉励,使得本书最终成稿,也感谢很多在教育第一线的校长和教师朋友的热心帮助,提供了很多鲜活的案例和写作上的启示。

最近几年,虽然不断在大学与中小学之间穿梭,但接触教育实践的广度和深度尚有不少欠缺。本书只是我对教师研究领域的初次尝试,与广大中小学教师的期待可能还有一定的距离,希望能够听到更多的意见和批评的声音,我将在今后的研究工作中进一步完善。同时,我也希望以此书为线索进一步拉近理论与实践的距离,实现理论与实践的对话与合作,共同关注充满活力的教育实践,促进每一个生命的健康成长!

鲍传友

2008. 10

责任编辑　杨晓琳　谭文明
版式设计　贾艳凤
责任校对　贾静芳
责任印制　曲凤玲

**图书在版编目（CIP）数据**

做研究型教师/鲍传友著 . —北京：教育科学出版社，
2009.4（2011.7 重印）
（新世纪教师教育丛书/袁振国主编）
ISBN 978 - 7 - 5041 - 4439 - 3

Ⅰ. 做… 　Ⅱ. 鲍… 　Ⅲ. 教学研究 　Ⅳ. G420

中国版本图书馆 CIP 数据核字（2009）第 026534 号

---

出版发行　**教育科学出版社**

| | | | | | |
|---|---|---|---|---|---|
| 社　　址 | 北京·朝阳区安慧北里安园甲 9 号 | 市场部电话 | 010 - 64989009 |
| 邮　　编 | 100101 | 编辑部电话 | 010 - 64981277 |
| 传　　真 | 010 - 64891796 | 网　　址 | http://www.esph.com.cn |

| | | | | | |
|---|---|---|---|---|---|
| 经　　销 | 各地新华书店 | | |
| 制　　作 | 北京金奥都图文制作中心 | | |
| 印　　刷 | 北京中科印刷有限公司 | 版　　次 | 2009 年 4 月第 1 版 |
| 开　　本 | 169 毫米×239 毫米　16 开 | 印　　次 | 2011 年 7 月第 4 次印刷 |
| 印　　张 | 16.5 | 印　　数 | 10 001— 14 000 册 |
| 字　　数 | 220 千 | 定　　价 | 33.00 元 |

---

如有印装质量问题，请到所购图书销售部门联系调换。